Contabilidad y finanzas para no financieros

Contabilidad y finanzas para no financieros

Nueva edición actualizada

Oriol Amat Salas
Profesor de la Universidad Pompeu Fabra

EDICIONES DEUSTO S·A·

Alda. Recalde, 27
48009 Bilbao

I.S.B.N.: 84-234-1384-5
Depósito legal: B-48476-95

F.I.

Impreso en España
6F1R

ÍNDICE

INTRODUCCIÓN

En este libro se estudian los conceptos y temas claves de la contabilidad y las finanzas. Tal y como indica el título del libro, esta temática es tratada desde la perspectiva y con la profundidad que puede interesar a los no financieros.

El esquema del libro se acompaña en el siguiente cuadro:

Esquema del libro

		Capítulo
Conceptos de contabilidad	Cuenta de pérdidas y ganancias	1
	Balance de situación	2
	Costes	3
Técnicas para obtener datos para la toma de decisiones financieras	Análisis de balances	4
	Control presupuestario	5
	Planificación financiera	6
Toma de decisiones financieras	Inversiones	7
	Financiación	8

Como se puede ver, el esquema tiene tres grupos de capítulos. En el primer grupo, se introducen los conceptos básicos de la contabilidad, que son los estados financieros y los costes.

En el segundo grupo, se tratan aquellas técnicas que permiten obtener datos para la toma de decisiones financieras: análisis de balances, control presupuestario y planificación financiera.

Finalmente, en el tercer grupo, se introducen los temas que más tienen que ver con las decisiones financieras: inversiones y financiación. En definitiva, las responsabilidades clave de la gestión financiera son las de invertir los recursos disponibles para obtener la máxima rentabilidad y financiarse de la forma más barata posible.

Al final de cada capítulo, se incluyen algunos ejemplos o ejercicios para contribuir a la mejor comprensión de los temas tratados.

Capítulo 1

EL RESULTADO DE LA EMPRESA (CUENTA DE PÉRDIDAS Y GANANCIAS)

En este capítulo, se estudia el resultado y su composición. Asimismo, se describen varias formas de presentación de los resultados obtenidos por la empresa.

1.1. **Concepto de resultado**

Como consecuencia de las operaciones que realiza la empresa, se producen unos ingresos y unos gastos de cuya diferencia surge el resultado del período. El resultado es la diferencia entre los ingresos y los gastos:

$$\text{Resultado} = \text{Ingresos} - \text{Gastos}$$

Si los ingresos superan a los gastos, el resultado es positivo (beneficio). En caso contrario, el resultado es negativo (pérdida);

$$\text{Ingresos} > \text{Gastos} \rightarrow \text{Beneficio}$$
$$\text{Ingresos} < \text{Gastos} \rightarrow \text{Pérdida}$$

Los principales tipos de ingresos son:

— Ventas: son las entregas de bienes o servicios a los clientes.

— Ingresos financieros: son los intereses que se perciben de los bancos y otras instituciones financieras por las inversiones que efectúa la empresa.

Los principales tipos de gastos son:

— Costes de los materiales: es el importe que se ha de pagar a los suministradores de los artículos que ha consumido la empresa.
— Gastos de personal: sueldos y seguridad social de los empleados de la empresa.
— Impuestos: son los tributos que se pagan al Estado y otros organismos oficiales.
— Gastos financieros: son los intereses y comisiones que cobran los bancos y otras instituciones financieras por el dinero y servicios que prestan.
— Amortización: con este concepto, la empresa refleja el desgaste que sufren la maquinaria y otros activos fijos. Periódicamente, como mínimo una vez al año, se ha de valorar el gasto que supone la amortización. De esta forma, se incluye en la partida de gasto los que hacen referencia al desgaste de los activos fijos que usa la empresa (véase apartado 1.3).
— Gastos generales: son el material de oficina, la propaganda y otros gastos varios.

1.2. **El coste de los materiales**

El coste de los materiales que ha utilizado la empresa no coincide normalmente con las compras. Para calcular el coste de los materiales, a partir de las compras, se ha de tener en cuenta el valor de las existencias de materiales al principio y fin del período contable.

El coste de los materiales es igual a las compras más las existencias iniciales y menos las existencias finales:

+ Compras
+ Existencias iniciales
− Existencias finales

= Coste de los materiales consumidos

Ejemplo: si una empresa tenía unas existencias iniciales de materiales valoradas en 200.000, las compras del período han ascendido a 5.600.000 y el valor de adquisición de las existencias finales es de 5.000.000, el coste de los materiales consumidos será igual a 800.000:

+ Compras	+ 5.600.000
+ Existencias iniciales	+ 200.000
− Existencias finales	− 5.000.000
= Coste de los materiales consumidos	800.000

1.3. **La amortización**

Tal y como se ha comentado en el apartado 1.1, la amortización refleja el desgaste que sufren los elementos del inmovilizado. Si una empresa quiere conocer el resultado real que ha obtenido, tendrá que añadir a los demás gastos el referente a la amortización. Sin duda, hay inmovilizados que se gastan y, por tanto, se ha de incluir este desgaste con los demás gastos.

El método de amortización más usado es el *lineal;* que consiste en calcular la cuota anual de amortización dividiendo el valor amortizable del activo por su número de años de vida útil:

$$\text{Cuota anual} = \frac{\text{Valor amortizable}}{\text{Número de años de vida útil}}$$

Dado que el valor amortizable es igual al valor de adquisición del bien menos el valor del mismo al final de su vida útil (valor residual):

$$\text{Cuota anual} = \frac{\text{Valor de adquisición} - \text{Valor residual}}{\text{Número de años de vida útil}}$$

La amortización total del año se refleja en la cuenta de resultados aumentando el conjunto de los gastos y, por tanto, reduciendo el beneficio o aumentando las pérdidas.

Por ejemplo, si una máquina fue comprada por 2.500.000 pesetas y tendrá un valor residual de 500.000 pesetas, al final de una vida útil de 10 años se amortizará anualmente en 200.000 pesetas.

$$\text{Cuota anual} = \frac{2.500.000 - 500.000}{10} = 200.000$$

El conjunto de las amortizaciones acumuladas de los inmovilizados que tenga la empresa se anotarán en el balance (véase apartado 2.4), reduciendo el valor de adquisición de dichos activos.

1.4. **La cuenta de pérdidas y ganancias**

La cuenta de pérdidas y ganancias, también denominada cuenta de resultados, se confecciona anotando, en el debe (izquierda), todos los gastos del período y, en el haber (derecha), todos los ingresos:

Debe	Haber
Gastos + Beneficios	Ingresos + Pérdidas

El beneficio se anota en el debe, ya que se produce cuando los gastos son menores que los ingresos. Si hay pérdidas se anotan en el haber.

Ejemplo: a continuación, se calcula la cuenta de pérdidas y ganancias de una empresa que ha tenido los siguientes ingresos y gastos durante el período recién finalizado:

Coste de los materiales	50.000
Amortizaciones	10.000
Gastos de personal	15.000
Gastos financieros	2.000
Gastos generales	8.000
Ventas	90.000

La cuenta de pérdidas y ganancias del período será la que se recoge en la figura 1.1.

Debe		Haber	
Coste de los materiales	50.000	Ventas	90.000
Amortizaciones	10.000		
Gastos de personal	15.000		
Gastos financieros	2.000		
Gastos generales	8.000		
Total gastos	85.000	Total ingresos	90.000
Beneficio	5.000		
Total	90.000	Total	90.000

Figura 1.1. Cuenta de pérdidas y ganancias

1.5. **Tipos de resultados**

El resultado de la gestión de la empresa es la consecuencia de dos tipos de actividades:

— Las actividades ordinarias de la empresa, las que le son propias, que generan el *resultado de explotación* y el *resultado financiero*.
— Las actividades extraordinarias de la empresa, es decir las que sólo se realizan de forma ocasional, que generan el *resultado extraordinario*.

De esta forma, el resultado total de la empresa es la suma de los dos resultados:

$$\text{Resultado total} = \overbrace{\begin{matrix}\text{Resultado de}\\ \text{explotación}\end{matrix} + \begin{matrix}\text{Resultado}\\ \text{financiero}\end{matrix}}^{\text{Resultado ordinario}} + \begin{matrix}\text{Resultado}\\ \text{extraordinario}\end{matrix}$$

Al resultado total se le denomina también «pérdidas y ganancias».

Ejemplo: a continuación, se calculan las cuentas de resultados de una empresa que facilita la siguiente información, correspondiente al año pasado:

Resultados de explotación	
Ventas	50.000
Coste de materiales	−30.000
Gastos de personal	−15.000
Resultado de explotación (beneficio)	+ 5.000
Resultados financieros	
Ingresos financieros	4.000
Gastos financieros	−3.000
Resultado financiero (beneficio)	+1.000
Resultados extraordinarios	
Ingresos extraordinarios	12.000
Gastos extraordinarios	−14.000
Resultado extraordinario (pérdida)	−2.000

De la información anterior se desprende que esta empresa ha tenido un resultado total de 4.000 pesetas de beneficios:

Resultado de explotación	+5.000
Resultado financiero	+1.000
Resultado extraordinario	−2.000
Resultado total (beneficio)	+4.000

La cuenta de resultados o de pérdidas y ganancias sería la que aparece en la figura 1.2.

Debe		Haber	
Coste de materiales	30.000	Ventas	50.000
Gastos de personal	15.000	Ing. financieros	4.000
Gastos financieros	3.000	Ing. extraordinarios	12.000
Gastos extraordinarios	14.000		
Total gastos	62.000	Total ingresos	66.000
Beneficio	4.000		
Total debe	66.000	Total haber	66.000

Figura 1.2. Cuenta de resultados o de pérdidas y ganancias

1.6. **Ordenación del resultado ordinario**

El análisis económico de la empresa se suele centrar en el resultado ordinario, porque refleja el resultado de la actividad propia de la empresa.

El resultado ordinario se puede presentar con el formato de la figura 1.3.

Debe	Haber
Coste de los materiales	Ingresos
Otros gastos	
Beneficio de explotación (cuando los ingresos exceden a los gastos)	Pérdidas de explotación (cuando los gastos exceden a los ingresos)

Figura 1.3. Resultado ordinario

Ejemplo: el resultado ordinario del ejemplo del apartado 1.5 será el siguiente (véase figura 1.4).

Debe		Haber	
Coste de los materiales	30.000	Ventas	50.000
Gastos de personal	15.000	Ingresos financieros	4.000
Gastos financieros	3.000		
Total gastos	48.000	Total ingresos	54.000
Beneficio ordinario	6.000		
Total	54.000	Total	54.000

Figura 1.4. Resultado ordinario

Sin embargo, para analizar el resultado ordinario se dividen todos sus gastos e ingresos en los conceptos siguientes:

— *Ventas netas:* incluye los ingresos por la actividad propia de la explotación de la empresa de la que se deducen los descuentos y bonificaciones en factura y los impuestos sobre dichas ventas.
— *Gastos proporcionales de fabricación:* son todos los gastos de fabricación directamente imputables a las ventas, o sea la materia prima, la mano de obra directa de fábrica y los gastos directos de fabricación.
— *Gastos proporcionales de comercialización:* son todos los gastos de comercialización directamente imputables a las ventas. Por ejemplo: portes de venta, comisiones, etc.
— *Amortizaciones:* son las del período. En algunos casos, la amortización de las máquinas y otros activos similares se incluyen en los gastos proporcionales de fabricación.
— *Gastos de estructura:* son todos aquellos gastos provocados por la estructura de la empresa y no imputables a las ventas. A los gastos de estructura, se les llama a menudo gastos fijos en contraposición a los gastos proporcionales que son variables en relación a las ventas. Los sueldos de los departamen-

tos de contabilidad, personal, gerencia son ejemplos de gastos de estructura.

— *Otros ingresos y gastos:* son todos los ingresos y gastos de explotación que no se pueden incluir en ninguno de los grupos que se están estudiando en este punto. Por ejemplo, subvenciones de explotación, ingresos del economato de la empresa, etcétera.
— *Gastos e ingresos financieros:* este grupo incluye todos los gastos e ingresos financieros de la empresa. Así, no sólo se han de agrupar los gastos bancarios, sino también los intereses financieros, los descuentos por pronto pago a favor o en contra, el coste de los timbres de los efectos comerciales, etc.
— *Impuesto de sociedades:* es el impuesto sobre el beneficio del período.

A partir de los grupos anteriores, el resultado ordinario se estructura como se detalla en la figura 1.5.

Ventas netas
− Gastos proporcionales de fabricación
− Gastos proporcionales de comercialización

= Margen bruto
− Amortizaciones
− Gastos de estructura
− Otros ingresos y gastos

= Beneficio antes de intereses e impuestos
− Gastos e ingresos financieros

= Beneficio antes de impuestos
− Impuesto de sociedades

= Beneficio neto

Figura 1.5. Cálculo del resultado ordinario

En caso de que la empresa analizada tenga resultados extraordinarios se pueden integrar en la cuenta anterior incluyéndolos después del beneficio antes de impuestos (véase figura 1.6).

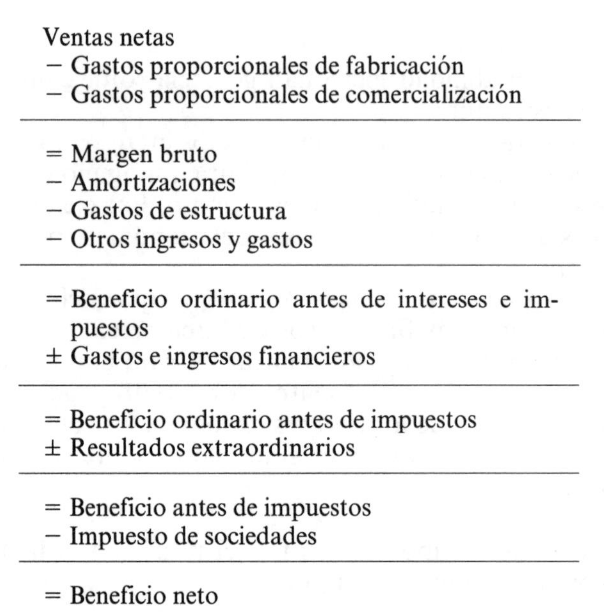

Ventas netas
− Gastos proporcionales de fabricación
− Gastos proporcionales de comercialización

= Margen bruto
− Amortizaciones
− Gastos de estructura
− Otros ingresos y gastos

= Beneficio ordinario antes de intereses e impuestos
± Gastos e ingresos financieros

= Beneficio ordinario antes de impuestos
± Resultados extraordinarios

= Beneficio antes de impuestos
− Impuesto de sociedades

= Beneficio neto

Figura 1.6. Cuenta de resultados o de pérdidas y ganancias

Obsérvese que al estado financiero de la figura 1.6 se le denomina «cuenta de resultados» o «cuenta de pérdidas y ganancias» por incorporar los resultados extraordinarios.

1.7. **Ejemplos**

A continuación, se acompañan dos cuentas de resultados reales con el fin de clarificar más los temas en este capítulo. Obsérvese que, en el ejemplo 1.2, la cuenta de resultados aparece presentada en los dos formatos que se han explicado en las páginas anteriores.

El primer formato es el que facilita el análisis de los resultados (cuenta de resultados analítica). El segundo formato es el que se utiliza para informar al Ministerio de Hacienda.

Lógicamente, el beneficio coincide en las dos cuentas de resultados.

EJEMPLO 1.1

Véase la figura 1.7.

Debe	
Gastos generales	1.749.918
Amortizaciones	1.625.504
Consumos	3.100.000
Beneficio	740.102
Total	7.215.524
Haber	
Ventas de trigo	1.046.786
Ventas de cebada	4.054.947
Ventas de alfalfa	157.591
Ventas de patatas	36.021
Ventas de maíz	75.224
Ventas de remolacha	1.844.955
Total	7.215.524

Figura 1.7. Cuenta de resultados de una empresa agrícola

EJEMPLO 1.2

Véanse las figuras 1.8 y 1.9.

	31-12-19X1	31-12-19X2
Ventas	18.991.328.362	22.879.549.431
Coste de las materias utilizadas	12.617.763.526	15.397.265.119
Margen bruto de la explotación	6.373.564.836	7.482.284.312
Otros ingresos de la explotación	913.331.293	1.189.868.698
Gastos de personal	2.767.071.028	3.205.430.185
Otras cargas de la explotación	1.228.522.959	1.470.830.434
Amortizaciones	1.164.328.263	1.422.877.977
Beneficio antes de intereses e impuestos	2.126.973.879	2.573.014.141
Ingresos financieros	371.657.817	237.261.341
Otros ingresos financieros	23.053.782	23.053.782
Costes financieros	1.384.214.249	1.892.571.050
Beneficio antes de impuestos y de resultados extraordinarios	1.137.471.229	940.758.487
Ingresos extraordinarios	1.170.801	3.285.837
Gastos extraordinarios	335.107.122	151.776.302
Beneficio total antes de impuestos	803.534.908	792.268.022
Impuesto sobre sociedades	177.500.000	180.000.000
Beneficio neto	626.034.908	612.268.022

Figura 1.8. Cuenta de resultados o de pérdidas y ganancias analítica

	31-12-19X1	31-12-19X2
Ingresos (haber)		
Ventas	18.991.328.362	22.879.549.431
Otros ingresos de las explotaciones normales y de las participaciones en otras empresas	1.308.042.892	1.450.183.821
Ingresos extraordinarios	1.170.801	3.285.837
Total ingresos	20.300.542.055	24.333.019.089
Gastos (debe)		
Salarios y participación del personal en los beneficios	1.857.821.927	2.161.634.819
Cargas sociales	909.249.101	1.043.795.366
Amortizaciones	1.164.328.263	1.442.877.977
Intereses	1.384.214.249	1.892.571.050
Impuestos (excepto el de sociedades)	306.008.426	359.704.350
Previsión impuesto sociedades	177.500.000	180.000.000
Otros gastos normales de la explotación	13.540.278.059	16.508.391.203
Gastos extraordinarios	335.107.122	151.776.302
Total gastos	19.674.507.147	23.720.751.067
Beneficio neto	626.034.908	612.268.022

Figura 1.9. Cuenta de resultados o de pérdidas y ganancias (para presentar a Hacienda)

Capítulo 2

EL PATRIMONIO DE LA EMPRESA (BALANCE DE SITUACIÓN)

En este capítulo se describirá el balance de situación, así como los criterios de ordenación y valoración de los activos. También se estudiará el estado de origen y aplicación de fondos.

2.1. **Balance de situación**

El balance de situación es un estado contable que refleja la situación patrimonial de la empresa. Dicha situación se compone de los bienes, derechos, de las deudas y del capital que tiene la empresa en un momento dado. Los bienes y derechos integran el activo del balance de situación. El capital y las deudas forman el pasivo de dicho balance:

Activo	Pasivo
Bienes (lo que la empresa tiene) + Derechos (lo que a la empresa le deben)	Deudas (lo que la empresa debe) + Capital (aportaciones de los propietarios)

Desde otro punto de vista, el activo refleja las inversiones que ha efectuado la empresa, y el pasivo de dónde han salido los fondos que han financiado dichas inversiones:

Activo	Pasivo
¿En qué ha invertido la empresa?	¿De dónde ha obtenido la financiación?

En la figura 2.1, se detalla un ejemplo de balance de situación.

Activo		Pasivo	
Caja	600	Capital social	4.000
Clientes	1.000	Proveedores	2.000
Maquinaria	1.400	Acreedores a largo plazo	500
Terrenos	3.000	Reservas	500
Existencias	2.000	Préstamos bancarios a corto plazo	1.000
Total activo	8.000	Total pasivo	8.000

Figura 2.1. Balance de situación al 31 de diciembre

En este ejemplo, se pueden apreciar las principales características del balance de situación:

— Siempre está referido a una fecha determinada.
— Se expresa en unidades monetarias.
— El total del activo siempre es igual al total del pasivo.

2.2. **Ordenación del balance de situación**

Se acostumbra a presentar el balance de situación siguiendo unos determinados criterios de ordenación. Así, en España, se suelen ordenar las partidas del activo de menos a más liquidez, y las del pasivo de menos a más exigibilidad:

Activo			Pasivo		
De menor a mayor liquidez	↓	Terrenos Caja	De menor a mayor exigibilidad	↓	Capital Proveedores

Los terrenos son los activos menos líquidos y la caja es lo más líquido del balance.

En el pasivo, lo menos exigible es el capital y las deudas con los proveedores son de las más exigibles.

En la figura 2.2, se detalla el balance de situación de la figura 2.1 ordenado según los criterios que se han expuesto.

Activo		Pasivo	
Terrenos	3.000	Capital social	4.000
Maquinaria	1.400	Reservas	500
Existencias	2.000	Acreedores a largo plazo	500
Clientes	1.000	Préstamos bancarios a corto plazo	1.000
Caja	600	Proveedores	2.000
Total activo	8.000	Total pasivo	8.000

Figura 2.2. Balance de situación al 31 de diciembre

En algunos países, como Estados Unidos, se sigue el criterio de ordenación opuesto, ya que el activo se ordena de mayor a menor liquidez, y el pasivo, de mayor a menor exigibilidad.

2.3. **Componentes del balance de situación**

Para que el balance pueda ser interpretado de forma rápida y clara es conveniente agrupar las cuentas en los siguientes grupos:

— *Activo fijo o inmovilizado:* son aquellos activos que han de permanecer en la empresa más de 12 meses. Se divide en: inmovilizado material (terrenos, edificios...), inmovilizado inmaterial (patentes, marcas...) y gastos amortizables (gastos de constitución de la empresa...).

— *Activo circulante:* son aquellos activos que han de permanecer en la empresa menos de 12 meses. Se divide en existencias, realizable y disponible:

  — *Existencias:* constituidas por las mercaderías, productos terminados, productos en curso, materias primas, materias auxiliares, materias para consumo, materias para reposición, embalajes y envases.
  — *Realizable:* todos los bienes y derechos a corto plazo que no forman parte ni de las existencias ni del disponible. Ejemplo: clientes, deudores, efectos a cobrar, anticipos al personal, anticipos a proveedores,etc.
  — *Disponible:* caja, cuentas corrientes bancarias, etc.

Los grupos patrimoniales del pasivo son:

— *Capitales propios* (también denominado «recursos propios», «pasivo no exigible» o «patrimonio neto»): es la diferencia entre el activo y todas las deudas de la empresa. Incluye el capital, reservas, beneficios no repartidos, subvenciones y los resultados de años anteriores. En definitiva, en los capitales propios se incluyen aquellos elementos del pasivo que no son deudas ni el resultado del ejercicio (cuando es beneficio).
— *Exigible a largo plazo:* deudas con vencimiento a partir de 1 año.
— *Exigible a corto plazo:* deudas con vencimiento inferior a 1 año.
— *Resultado del ejercicio:* cuando el resultado del ejercicio está pendiente de distribuir, se pone por separado en el pasivo si es beneficio. En caso de que el resultado sea pérdida, se suele situar en el activo, pero con esta práctica se hincha de forma irreal el balance.

Estos plazos, que son válidos en general, pueden variar según el sector al que pertenezca la empresa. Para una constructora de edificios, por ejemplo, el corto plazo podrá ser 2 años. Para una empresa concesionaria de autopistas, el corto plazo podrían ser 5 años.

En el esquema siguiente, se resumen los grupos patrimoniales anteriores. Obsérvese que, en dicho esquema, se incluyen los capitales permanentes, que es la suma de los capitales propios, exigible a largo plazo y exigible a medio plazo.

Activo		Pasivo	
Fijo		Capitales propios	Recursos permanentes
Circulante	Existencias	Exigible a largo plazo	
	Realizable	Exigible a corto plazo	
	Disponible	Beneficio del año	

De acuerdo con los criterios anteriores, el balance de la figura 2.1 se presentaría como puede apreciarse en la figura 2.3.

Activo			Pasivo		
Fijo		4.400	Capitales propios		4.500
Terrenos	3.000		Capital social	4.000	
Maquinaria	1.400		Reservas	500	
Circulante		3.600	Exigible a l.p.		500
Existencias	2.000		Acreedores l.p.	500	
Realizable	1.000		Exigible a c.p.		3.000
Disponible	600		Préstamos a c.p.	1.000	
			Proveedores	2.000	
Total activo		8.000	Total pasivo		8.000

Figura 2.3. Balance de situación al 31 de diciembre

2.4. Criterios de valoración de los activos

La correcta valoración de los activos es requisito indispensable para que la información contenida en el balance sea fiable.

En principio, los activos se han de valorar a valor de coste o mercado, el que sea más bajo. El valor de coste es el de adquisición y el valor de mercado es el precio medio que el mercado ofrece por dicho activo. Por tanto, los activos se han de valorar siempre según su valor de adquisición, a menos que su valor de mercado sea más bajo que aquél. En este último caso, se utilizará el valor de mercado.

A partir de esta idea general, a continuación, se concretan más los criterios de valoración de los principales activos:

— *Inmovilizado material:* los activos incluidos en dicho grupo se han de valorar al valor de adquisición, deduciendo las amortizaciones practicadas. Así, las amortizaciones acumuladas aparecerán en el activo minorando el inmovilizado material. La amortización acumulada de un elemento del inmovilizado es el reconocimiento de que dicho elemento ha sufrido un desgaste.

  En el valor de adquisición, además del importe de la factura del vendedor se incluyen todos los gastos adicionales que se produzcan hasta su puesta en funcionamiento: transporte, aduana, instalación, montaje, etc.

— *Inmovilizado inmaterial:* las amortizaciones de este tipo de activos también aparecerán en el activo minorando el inmovilizado inmaterial.

— *Existencias:* se valoran a coste de adquisición o mercado, el más bajo de los dos. Cuando para un mismo material existan diferentes precios de compra, deberá aplicarse alguno de los métodos de valoración admitidos: promedio (valor de los diferentes precios de compra), FIFO (las unidades que salen del almacén se valoran al precio de adquisición de las primeras que entraron en el mismo).

— *Fondo de comercio:* sólo ha de incluirse en el balance de una empresa cuando ésta haya comprado otra empresa previamente. El valor del fondo de comercio será igual a la diferencia entre lo que se pague al adquirir una empresa y su valor contable. El valor contable de una empresa se obtiene al restar las deudas del activo de la misma. Por ejemplo, el valor contable del balance de la figura 2.3 será 8.000 (activo) menos

3.500 (deudas), que es igual a 4.500. Nótese que el valor contable coincide siempre con el de los capitales propios más el beneficio del período pendiente de distribuir, si lo hubiera. Si otra empresa pagase 6.000 por esta que vale 4.500 indicará que existe un fondo de comercio de 1.500. El fondo de comercio refleja un valor adicional que tiene la empresa (imagen, clientela, prestigio, etc.).

— *Valores mobiliarios, participaciones:* se valorarán al valor de adquisición. Cuando sean títulos admitidos a cotización oficial en Bolsa, figurarán en el balance a un valor no superior a la cotización oficial media en el último trimestre o a la cotización del día de cierre del balance.
— *Clientes, efectos a cobrar, deudores:* figurarán en el balance por su valor nominal. Sin embargo, se deducirán las provisiones por insolvencias que se hayan ido dotando. Las provisiones por insolvencias reflejan aquella parte de los saldos de clientes que son de dudoso cobro. Así, al igual que las amortizaciones acumuladas, las provisiones por insolvencias aparecerán en el activo minorando a las cuentas correspondientes.
— *Pérdidas de ejercicios anteriores y del ejercicio último:* estas pérdidas se pondrán en el pasivo minorando los capitales propios (capital y reservas) para que éstos reflejen su valor real.

En definitiva, las amortizaciones acumuladas, las provisiones efectuadas y las pérdidas del ejercicio último o de ejercicios anteriores, se pondrán en el balance restando:

Activo	Pasivo
Inmovilizado material — Amortizaciones	*Capitales propios* Capital Reservas — Pérdidas de ejercicios anteriores — Pérdidas del ejercicio
Inmovilizado inmaterial — Amortizaciones	
Clientes — Provisión insolvencias	

2.5. Estado de origen y aplicación de fondos

El estado de origen y aplicación de fondos, también llamado «cuadro de financiamiento» o «estado de fuentes y empleos» es un instrumento muy útil para analizar el balance.

Se confecciona a partir de dos balances de una misma empresa y consiste en la integración de todas las variaciones que se han producido en el activo y en el pasivo.

A continuación, se explica el proceso de confección del estado de origen y aplicación de fondos con un ejemplo. Conociendo dos balances de una misma empresa (figura 2.4), se calculan los aumentos y disminuciones producidos entre los dos balances (figura 2.5).

31-12-19X1

Activo		Pasivo	
Fijo	7	No exigible	10
Existencias	2	Exig. l.p.	2
Realizable	4	Exig. c.p.	5
Disponible	4		
	17		17

31-12-19X2

Activo		Pasivo	
Fijo	17	No exigible	12
Existencias	3	Exig. l.p.	4
Realizable	6	Exig. c.p.	12
Disponible	2		
	28		28

Figura 2.4. Balances de 19X1 y 19X2

Activo		Pasivo	
Fijo	10	No exigible	2
Existencias	1	Exigible a largo	2
Realizable	2	Exigible a corto	7
Disponible	−2		
	11		11

Figura 2.5. Aumentos y disminuciones producidos en 19X2

Nótese que las variaciones del activo siempre han de igualar a las variaciones del pasivo.

Se confecciona el estado de origen y aplicación de los fondos anotando, en la izquierda, los aumentos de activo y las disminuciones de pasivo (que son las aplicaciones de fondos) y, en la derecha, los aumentos de pasivo y las reducciones de activo (que son los orígenes de fondos):

Aplicación	*Origen*
↑ Activo ↓ Pasivo	↑ Pasivo ↓ Activo

En el ejemplo que estamos estudiando, el estado de origen y aplicación de fondos será el que se acompaña en la figura 2.6.

Aplicación		*Origen*	
Activo fijo	10	No exigible	2
Existencias	1	Exigible largo plazo	2
Realizable	2	Exigible corto plazo	7
		Disponible	2
	13		13

Figura 2.6. Estado de origen y aplicación de fondos, 19X2

Del estado anterior se puede concluir que esta empresa ha invertido, sobre todo en activo fijo, y lo ha financiado básicamente con deudas a corto plazo, lo cual es negativo. En principio, el activo fijo ha de ser financiado con capitales propios o con exigible a largo plazo.

El estado de origen y aplicación de fondos sirve para ver en qué ha invertido y cómo lo ha financiado. De esta forma, se puede comprobar si el crecimiento y su financiación son equilibrados o no.

2.6. **Ejemplos**

Seguidamente, se relacionan varios ejemplos de balances de situación.

EJEMPLO 2.1

El balance de situación de la figura 2.7 es el de una empresa papelera y presenta la particularidad de que está ordenado a la americana. Obsérvese que el activo se inicia con el disponible y acaba con el activo fijo. Simultáneamente, el pasivo está ordenado de mayor a menor exigibilidad.

Seguidamente, se clarifican algunas de las cuentas incluidas en el balance del ejemplo 2.1:

Activo		
Activo circulante		4.412.187.170
Disponible		42.520.253
Caja y bancos	42.520.253	
Realizable		2.438.386.678
Inversión financiera a corto plazo	74.010.000	
Clientes	1.920.414.955	
Otros deudores	82.375.513	
Situaciones transitorias financieras	361.586.210	
Existencias		1.931.280.239
Primeras materias y mercaderías	1.931.280.239	
Activo fijo		16.296.113.665
Inmovilizado material		11.151.874.019
Edificios y otras construcciones	2.215.403.097	
Maquinaria, instalaciones, utillaje	9.308.462.312	
Elementos de transporte	190.509.073	
Mobiliario, equipo oficina y otros inmovilizados	348.621.574	
A deducir: amortización acumulada	(3.324.728.973)	
Terrenos	668.102.933	
Viviendas	1.324.927.100	
Obra en curso	420.576.903	
Inmovilizado financiero		4.901.108.007
Acciones de empresas grupo	4.889.162.331	
Fianzas y depósitos construcción	11.945.676	
Inmaterial y gastos amortizables		243.131.639
Inmaterial y gastos amortización	243.131.639	
Total activo		20.708.300.835

Figura 2.7. Balance de situación al 31 de diciembre

Pasivo

Pasivo circulante		4.951.190.100
Exigible a corto plazo		4.951.190.100
Obligaciones	359.400.000	
Créditos	182.427.063	
Proveedores	2.141.672.061	
Otros acreedores	2.267.690.976	
Recursos permanentes		17.077.151.821
Exigible a largo plazo		8.753.363.367
Obligaciones	1.433.200.000	
Créditos	7.170.009.664	
Acreedores	150.153.703	
Capital y reservas		8.323.788.454
Capital social	2.662.811.000	
Reservas	5.660.977.454	
Resultados		(1.320.041.086)
Resultado del ejercicio	(1.320.041.086)	
Total pasivo		20.708.300.835

Figura 2.7 *(continuación)*

— *Inversiones financieras a corto plazo:* son inversiones de tipo financiero (cuentas de ahorro bancarias, imposiciones a plazo fijo en bancos o participaciones en el capital de otras empresas) que se podrán recuperar antes de 18 meses (corto plazo). Al ser inversiones a corto plazo se incluyen en el realizable.

— *Situaciones transitorias de financiación:* es la parte del capital social que aún no ha sido desembolsado por los accionistas. Por tanto, la empresa tiene derecho a percibir este importe de los accionistas.

— *Obligaciones:* son deudas que tiene la empresa con inversionistas que le han prestado dinero. Están en el exigible a corto plazo o en el exigible a largo plazo en función de la fecha en que se han de pagar.

— *Resultados del ejercicio:* como están en el pasivo y en negativo, son pérdidas.

EJEMPLO 2.2

El balance de la figura 2.8 corresponde a una empresa que produce y comercializa productos agrarios. A continuación, se clarifican algunas de sus cuentas.

— *Títulos sin cotización oficial:* son inversiones a largo plazo en otras empresas que no cotizan en Bolsa.

Activo		
Inmovilizado material		469.485.850
Terrenos y bienes naturales	27.698.816	
Edificios y otras construcciones	116.379.547	
Máquinas, instalaciones y utillajes	214.519.399	
Elementos de transporte	82.198.755	
Mobiliario y enseres	5.658.766	
Equipos para procesos de información (ordenadores)	12.677.541	
Otro inmovilizado material	10.353.026	
Inmovilizado financiero		1.308.505
Títulos sin cotización oficial	1.308.505	
Existencias		323.103.706
Comerciales (mercaderías)	155.527.923	
Productos terminados	46.760.422	
Materias primas y auxiliares	111.764.702	
Elementos y conjuntos incorporados	4.889.740	
Embalajes y envases	4.160.919	
Deudores		1.248.784.046
Clientes	166.049.157	
Efectos comerciales a cobrar	916.491.891	
Otros deudores	76.076.386	
Clientes y deudores de dudoso cobro	12.694.133	
Otras inversiones fin. temporales	77.472.479	
Cuentas financieras		352.596.262
Caja	743.605	
Bancos e instituciones de crédito	351.852.657	
Total activo		2.395.278.369

Figura 2.8. Balance de situación al 31 de diciembre

Pasivo

Capital y reservas		408.740.826
Capital social	211.575.333	
Cuenta de regularización	102.213.311	
Reservas estatutarias	63.127.609	
Remanente	31.824.573	
Deudas a plazo largo		408.885.121
Préstamos a largo plazo	305.000.000	
Otras deudas a largo plazo	103.885.121	
Deudas a plazo corto		1.526.825.905
Proveedores	1.014.130.041	
Hacienda Pública por conceptos fiscales	11.406.533	
Organismos de la Seguridad Social	28.333.122	
Otros acreedores	472.956.209	
Ajustes por periodificación		50.826.518
Ingresos anticipados	50.826.518	
Total pasivo		2.395.278.369

Figura 2.8 *(continuación)*

— *Comerciales (mercaderías):* son productos terminados que han sido fabricados por otras empresas y que son comercializados por esta empresa.
— *Productos terminados:* son productos acabados que han sido fabricados por esta empresa.
— *Elementos y conjuntos incorporados:* son productos fabricados por otras empresas que se utilizan como componentes de los que fabrica esta empresa.
— *Efectos comerciales a cobrar:* son letras de cambio que han de ser pagadas por los clientes.
— *Clientes y deudores de dudoso cobro:* son deudas a favor de la empresa de las que se duda de su cobro.
— *Cuenta de regularización:* es la contrapartida a revalorizaciones efectuada en el inmovilizado material.
— *Reservas estatutarias:* son beneficios que no se han repartido de acuerdo con lo fijado en los estatutos de la empresa.
— *Remanente:* son beneficios no repartidos y que, de momento, no se han destinado a ninguna finalidad concreta.

— *Ingresos anticipados:* son ingresos que se han cobrado anticipadamente. Es decir que se cobran antes de prestar el servicio. Se les denomina «ajustes por periodificación» y podrían incluirse dentro de las deudas a plazo corto.

EJEMPLO 2.3

A continuación (figura 2.9), se acompañan dos balances de una misma empresa con el fin de calcular el estado de origen y aplicación de fondos.

	31-12-19X1	31-12-19X2
ACTIVO		
Maquinaria	60.000	65.000
Existencias	40.000	60.000
Bancos	10.000	1.000
	110.000	126.000
PASIVO		
Capital	30.000	30.000
Reservas	20.000	26.000
Acreedores	60.000	70.000
	110.000	126.000

Figura 2.9. Balance de situación (datos en miles de pesetas)

El estado de origen y aplicación de fondos obtenido a partir de los balances de la figura 2.9 será el que aparece en la figura 2.10.

Aplicación		Origen	
Maquinaria	5.000	Bancos	9.000
Existencias	20.000	Reservas	6.000
		Proveedores	10.000
Total	25.000	Total	25.000

Figura 2.10. Estado de origen y aplicación de fondos, 19X2

En el estado de origen y aplicación de fondos obtenido se observa que esta empresa ha invertido en existencias y maquinaria y que lo ha financiado a través de proveedores, reservas y reduciendo sus saldos en bancos.

EJEMPLO 2.4

Indicar si las cuentas siguientes son de activo, pasivo, debe o haber:

Caja .... A
Ventas .... H
Compras .... D
Maquinaria .... A
Existencias (finales)....... A
Gastos de personal .... D
Terrenos .... A
Beneficios .... D y P
Capital.................... P
Reservas .... P
Clientes .... A
Amortizaciones........... D
Amortización acumulada . A (restando)
Bancos.................... A
Proveedores .... P
Deudores.................. A
Acreedores .... P
Gastos financieros .... D
Pérdidas.................. H y P (restando)

EJEMPLO 2.5

Seguidamente, se confecciona el estado de origen y aplicación de fondos a partir de dos balances:

	31-12-19X1	31-12-19X2
ACTIVO		
Maquinaria	20.000	25.000
Existencias	10.000	11.000
Clientes	7.000	28.000
Caja	10.000	1.000
Total	47.000	65.000
PASIVO		
Capital	5.000	5.000
Reservas	12.000	14.000
Préstamos a corto plazo	10.000	16.000
Proveedores	20.000	30.000
Total	47.000	65.000

El estado de origen y aplicación de fondos de 19X2 será:

Aplicación		Origen	
Maquinaria	5.000	Reservas	2.000
Existencias	1.000	Préstamos, c.p.	6.000
Clientes	21.000	Proveedores	10.000
		Caja	9.000
Total	27.000	Total	27.000

Nótese que esta empresa ha invertido básicamente en clientes y los ha financiado a través de los proveedores, de préstamos a corto plazo y reduciendo el disponible en caja.

Capítulo 3

COSTES

Los precios de coste de los productos que vende una empresa constituyen una información imprescindible para la toma de decisiones estratégicas. La contabilidad analítica, también denominada contabilidad de costes, es el conjunto de técnicas que sirven para conocer los costes de los productos o servicios y los costes de los departamentos o de las distintas funciones de la empresa.

Las decisiones estratégicas típicas que se suelen tomar con la ayuda de la información sobre los costes son:

— Eliminación o potenciación de productos.
— Fijación de precios de venta (teniendo en cuenta los precios de los competidores y las expectativas de los clientes).
— Fijación de precios para pedidos especiales.
— Fijación de descuentos para determinados clientes.
— Subcontratación de algunas partes del proceso productivo, ya que nuestros costes pueden ser superiores a los de otras empresas a las que podemos subcontratar.

En este capítulo se tratan los temas más relevantes referentes a los costes.

3.1. **Contabilidad analítica y contabilidad general**

La contabilidad analítica, a pesar de utilizar datos que le proporciona la contabilidad general, es muy distinta a ésta.

Así, la contabilidad general tiene como objetivos principales la obtención del balance de situación y de la cuenta de pérdidas y ganancias mientras que la contabilidad analítica pretende obtener información sobre los costes de cada producto y los costes de cada departamento.

Además la contabilidad general es esencialmente externa, pues contabiliza las relaciones de la empresa con el exterior. Como esta contabilidad ha de informar a terceros (acreedores, bancos, empleados, sindicatos, accionistas,...) se ha de confeccionar según la normativa contable y mercantil vigente en cada país. En cambio, la contabilidad analítica es una contabilidad interna pues realiza cálculos relacionados con los procesos internos de elaboración de los productos y servicios que produce y/o comercializa la empresa. Es su carácter interno lo que hace que cada empresa pueda utilizar el sistema de cálculo de costes que le parezca más adaptado a sus necesidades.

La mayor parte de la información que utiliza la contabilidad analítica procede de la contabilidad general, ya que ésta tiene la información sobre todos los gastos que se han producido durante el período considerado.

Al mismo tiempo, la contabilidad analítica también proporciona información a la contabilidad general, como la referida a los costes de las materias primas, productos en curso y productos acabados que utilizará la contabilidad general para valorar las existencias al finalizar el ejercicio.

El resultado que refleja la contabilidad general ha de coincidir en principio, con el que refleja la contabilidad de costes. No obstante, a veces esta coincidencia no se produce debido a que mientras que la contabilidad analítica intenta obtener los costes reales, la contabilidad general está sujeta a la legislación mercantil, que en ciertos temas no facilita información real. Por ejemplo, la amortización del inmovilizado que refleja la contabilidad general es casi siempre menor que la que refleja la contabilidad analítica. Otro ejemplo, puede ser el de los denominados costes de oportunidad que no son considerados por la contabilidad general. Estos costes se refieren a consumos reales, pero que no son objeto de facturación ni de pago. Los más habituales son los correspondientes al trabajo gratuito efectuado por familiares del propietario de una empresa, o los alquileres no facturados de locales propiedad de los accionistas o los costes financieros de fondos prestados por los accionistas y por los que no se paga interés alguno.

3.2. **Tipos de costes**

Los costes se pueden clasificar de diferentes formas en función del tipo de cálculo que interese efectuar. Los principales tipos de costes son:

— fijos, variables, semifijos o semivariables;
— asignables o no asignables;
— históricos o previstos.

Los costes serán variables o fijos en función de su relación con el nivel de ventas o con el nivel de actividad de la empresa. Los variables son los que varían proporcionalmente con los ingresos. Así, cuando aumentan los ingresos crecen los costes variables y cuando disminuyen los ingresos decrecen también los costes variables. Son costes variables las materias primas, la energía o los materiales consumibles, por ejemplo. Los costes fijos, o de estructura, son independientes del nivel de ingresos o nivel de actividad de la empresa, como el coste del personal administrativo, el alquiler, los tributos municipales, la publicidad, la formación del personal, por ejemplo. Hay costes que tienen un componente fijo y otro variable, como la luz, que tiene un mínimo fijo y otra parte variable en función de la actividad. Estos son los denominados costes semivariables o semifijos.

Los costes son asignables o directos cuando se identifican claramente con un producto o servicio, un cliente o un departamento. Por ejemplo, si calculamos los costes de un servicio como una comida, serán asignables los consumos de alimentos y bebidas, la lavandería del mantel y servilletas, la comisión que percibe la entidad financiera si el cliente paga con tarjeta. El coste del tiempo de los camareros, cocineros, *maître* y otro personal que ha intervenido en la prestación del servicio puede calcularse, aunque su asignación no sea tan clara y objetiva. En cambio, el coste del gerente o los tributos que se pagan al ayuntamiento son difícilmente asignables a una comida. Por tanto, se trata de costes no asignables o indirectos.

Puede ocurrir que un coste sea asignable a un departamento y no a un producto, como el coste de un director de una empresa que se puede asignar al departamento de dirección y no a un producto concreto.

Los costes también pueden ser históricos o previstos. Los costes históricos, o reales, son los que ha tenido la empresa en el pasado. Los costes previstos, o estándar, son los que la empresa prevé para el siguiente período. El cálculo de los costes previstos sirve para controlar mejor los costes cuando posteriormente se produzcan, con la ayuda del análisis de desviaciones (ver capítulo 5).

3.3. **Sistemas de costes**

Los sistemas de costes son los métodos que se pueden utilizar para conocer los costes de los distintos productos y determinar el resultado del período. El sistema de costes que elige una empresa depende de las características de la misma, de los objetivos del sistema y de la complejidad o sencillez que se desee.

3.3.1. CÁLCULO DE COSTES EN EMPRESAS UNIPRODUCTO

En las empresas que trabajan con un solo producto, el cálculo del precio de coste se simplifica mucho. El precio de coste unitario de los productos fabricados se hallará dividiendo los costes totales del período por el número de unidades producidas:

$$\text{Precio de coste unitario} = \frac{\text{Costes totales período}}{\text{Número unidades producidas}}$$

Ejemplo:

Supóngase una empresa que fabrica un solo tipo de mesa y que, en el último mes ha producido 200 mesas. Si los costes totales de este mes son de 1.370.000 pesetas, el precio de coste unitario de una mesa ha sido de:

$$\text{Precio de coste unitario} = \frac{1.370.000}{200} = 6.850 \text{ pesetas}$$

Si en un período, además de productos acabados se han producido productos semiterminados, se han de imputar a estos últimos sus costes correspondientes. Para ello, debemos conocer el grado de finalización de los mismos.

Supongamos, siguiendo el mismo ejemplo anterior, que en el mes siguiente los costes totales han ascendido a 1.520.000 pesetas y se han producido 180 mesas acabadas y 60 mesas terminadas en un 70 %:

$$\text{Unidades producidas} = 180 + 0{,}70 \times 60 = 222 \text{ mesas}$$

$$\text{Precio de coste unitario} = \frac{1.520.000}{222} = 6.847 \text{ pesetas}$$

Las semiterminadas, al estar finalizadas en un 70 %, tendrán un coste unitario de:

$$6.847 \times 0{,}70 = 4.793 \text{ pesetas}$$

3.3.2. CÁLCULO DE COSTES EN EMPRESAS MULTIPRODUCTO

Para el cálculo de costes en empresas multiproducto se utilizan básicamente dos sistemas: *direct costing* (costes directos) y *full costing* (costes totales).

El *direct costing* imputa a cada producto los costes directos o asignables (que suelen ser también los costes variables) como la materia prima, la mano de obra que interviene directamente en la producción del producto, el embalaje, el coste de transporte de las unidades vendidas, las comisiones de los vendedores, etc...

Este sistema facilita información para:

- valorar los productos en curso y los productos acabados;
- conocer hasta dónde se puede rebajar el precio de un pedido sin perder dinero (ya que el precio del producto tiene que ser como mínimo la suma de sus costes variables). De todas formas, en este tipo de decisiones se tiene que tener en cuenta la utilización de la capacidad productiva de la empresa, ya que sólo serán válidas cuando ésta no utiliza toda su capacidad productiva. Además se tiene que asegurar que el resto de costes (fijos o de estructura) serán cubiertos por los otros pedidos.

El *full costing* imputa a cada producto, no sólo los costes directos o asignables sino también los indirectos o no asignables. Para efectuar el reparto de éstos se utilizan criterios, que siempre son subjetivos, como:

— unidades de producto o servicio vendidas;
— unidades monetarias vendidas;
— coste de materias primas de cada producto;
— coste de mano de obra directa de cada producto.

Es habitual que se repartan ciertos costes no asignables según un criterio y otros según otros criterios.

Recientemente, algunas empresas han empezado a implantar el denominado ABC *(activity based costing)* o sistema de costes basado en las actividades. En este sistema, que es una variante del *full costing,* los costes indirectos se reparten según los factores que causan los costes. Por ejemplo, los costes del departamento de facturación se asignarán a cada factura efectuada.

3.4. **El sistema de costes directos o *direct costing***

Al utilizar el *direct costing* para el cálculo del coste de un producto o servicio, se tienen en cuenta sólo aquellos costes variables que son directamente asignables (y con facilidad) al servicio correspondiente. Así, en una empresa industrial se tendrán en cuenta los costes de las materias primas que se precisan para la fabricación del producto. En algunos casos, también se tendrán en cuenta los costes correspondientes a la mano de obra directa (la que interviene directamente en la elaboración del producto) y los costes variables de comercialización, tales como las comisiones y los transportes, por ejemplo. En una empresa comercial, los costes variables directamente asignables al producto son los costes de las mercancías vendidas.

Con este sistema se puede obtener la cuenta de resultados por producto, muy útil para analizar el margen bruto que genera cada producto.

Ejemplo:

Supongamos una empresa que en el último ejercicio ha tenido unas ventas de 1.500 millones de pesetas (500 del producto A, 400 del producto B y 600 del C), los precios unitarios de venta han sido de 5 millones de pesetas para A, 8 millones de pesetas para B, y 6 millones de pesetas para C. Los costes que se han producido son:

	A	B	C	Total
Costes variables	400	500	200	1.100
Otros costes (fijos o de estructura)				450

La cuenta de explotación de la empresa será:

	A	B	C	Total
Ventas	500	400	600	1.500
— Costes variables	−400	−500	−200	−1.100
Margen bruto	100	−100	400	400
— Costes fijos				−450
Resultado	100	−100	400	−50

Para calcular el precio de coste unitario necesitamos conocer las unidades vendidas, ya que según el *direct costing:*

$$\text{Precio de coste unitario} = \frac{\text{Costes variables del producto}}{\text{Número de unidades vendidas del producto}}$$

Si se han vendido 100 unidades de A, 50 de B y 100 de C:

	A	B	C
Precio de coste unitario	$\frac{400}{100} = 4$	$\frac{500}{50} = 10$	$\frac{200}{100} = 2$

El precio de coste unitario es el precio de venta mínimo de cada producto que se precisa facturar para cubrir los costes variables.

El sistema *direct costing* nos sirve también para poder decidir la posible eliminación y/o potenciación de productos ya que obtenemos el margen de cada producto. En el ejemplo visto, si se prescindiera del producto B, el resultado de la empresa seguramente sería positivo. Igualmente convendría potenciar el producto C, pues su margen es muy superior al de los otros productos. De todas formas, para eliminar o potenciar productos hay que disponer además de información como la siguiente:

— ¿Cómo afecta a las ventas de cada producto el hecho de que se elimine algún producto del catálogo?

—¿Cómo afecta a la imagen de la empresa la desaparición de algún producto?

3.4.1. EJEMPLO DE CÁLCULO DEL COSTE VARIABLE DIRECTO DE UN PRODUCTO O SERVICIO

Seguidamente se calcula el coste de un plato en un restaurante. Para calcular el coste de una ración se debe conocer la cantidad que se precisa de cada ingrediente, y el precio unitario de cada uno, para producir un número determinado de raciones. Seguidamente, se divide el coste total por el número de raciones producidas y así se obtiene el coste de una ración. Veamos un ejemplo de lo expuesto:

Cálculo del coste de una ración

Materia prima	Precio pesetas	Cantidad requerida	Coste para 6 raciones
Queso	1.200 ptas./kg.	200 gramos	240
Ternera	3.500 ptas./kg.	1.430 gramos	5.000
Patatas	110 ptas./kg.	400 gramos	44
Cebollas	160 ptas./kg.	100 gramos	16
Total pesetas			5.300
Número de raciones			6
Coste unitario por ración			883

Por tanto, en el ejemplo anterior, el coste de una ración ascendería a 883 pesetas. A dicho coste podría añadirse el coste del personal de cocina que ha intervenido en su elaboración. Para ello, deberíamos cronometrar el tiempo que cada empleado de cocina ha destinado a la elaboración de dicho plato. Seguidamente, se calcularía el coste anual de cada empleado y se dividiría esta cantidad por las horas de trabajo efectivo del año. Así, se conocería el coste/hora de cada empleado que se tendría que multiplicar por el tiempo que dicho empleado ha destinado a la elaboración del plato:

$$\text{Coste del empleado X en la elaboración del plato} = \frac{\text{Coste anual empleado}}{\text{Horas de trabajo al año}} \times \text{Tiempo destinado a hacer el plato}$$

Este cálculo debería hacerse para cada uno de los empleados que han intervenido directamente en la elaboración del plato. Por tanto, el precio de coste directo estaría integrado por la materia prima y la mano de obra directa.

3.4.2. FIJACIÓN DEL PRECIO DE VENTA DE UN PRODUCTO O SERVICIO

El precio de venta de un producto o servicio suele fijarse en base al análisis del precio de mercado. Este precio depende de los precios de la competencia y de la política de márketing que se diseñe. En definitiva, el precio de venta es una variable más del plan de márketing.

De todas maneras, vamos a exponer cómo se pueden fijar precios de venta orientativos en base a los precios de coste y a las expectativas de beneficio que tiene la empresa.

Siguiendo con el ejemplo del restaurante, para fijar el precio de venta de una ración hay que tener presente que en el coste anterior de 883 pesetas sólo se ha tenido en cuenta una parte de los costes. Entre otros costes falta incluir el de mano de obra (cocina, camarero, *maître*,...), el de otros consumos (aceite, sal, especias, gas, electricidad,...) y los gastos de estructura (alquiler del local, tributos,...). Por ello, para calcular el precio de venta a partir del coste variable y directo obtenido, que sólo incluye el coste de ciertos consumos, sería preciso fijar un porcentaje que permita también cubrir los demás gastos y obtener un beneficio. Este porcentaje se suele fijar en base a la experiencia de años anteriores y a los precios de mercado para la categoría de restaurante correspondiente.

Una forma de fijar este porcentaje consistiría en analizar los costes del año anterior. Para ello se dividen todos los costes entre costes de alimentos directos, otros costes variables y costes de estructura. A lo anterior se añade el beneficio deseado para fijar el porcentaje de margen a obtener. Siguiendo con el ejemplo, supónganse los datos siguientes en relación con el año anterior:

	Pesetas	%
Coste anual de alimentos directamente imputables a raciones	18.430.000	30
Otros costes variables no imputados directamente a las raciones	11.500.000	19
Costes de estructura	21.560.000	35
Costes totales del año anterior	51.490.000	84
Beneficio anual deseado	10.000.000	16
Total de costes más beneficios deseados	61.490.000	100

Por tanto, los costes imputados a las raciones suponen, redondeando, el 30 % del ingreso total que cubre el resto de costes y proporciona el beneficio deseado.

En este caso, para determinar el precio de venta de un plato se dividirá el coste de los consumos imputados a la ración por 0,30 (expresión en tanto por uno del 30 %):

$$\text{Precio de venta del plato} = \frac{\text{Coste de materiales}}{\text{Tanto por uno que representa el coste de materiales sobre el ingreso total}} = \frac{883}{0{,}30} = 2.943 \text{ ptas.}$$

Al aplicar el método expuesto se tendrá que verificar cuál es el precio de mercado del plato. También deberá comprobarse que la proporción entre los costes de materiales y el resto de costes se mantiene en relación al año anterior.

El principal problema que tiene el método expuesto es que parte del supuesto de que se ha de aplicar el mismo porcentaje de margen para todos los productos y servicios. Dado que el caso habitual es que para cada producto interesa aplicar un porcentaje de margen distinto, se puede utilizar otro método un poco más complejo que se describe a continuación.

El punto de partida es conocer cuál es el beneficio total que se desea obtener y el coste total de estructura no asignable a los distintos productos o servicios. A continuación, se fija el margen de contribución que ha de generar cada producto o servicio. Este margen de contribución, sumado al de los restantes productos, es el que ha de cubrir los costes de estructura no asignables de toda la empresa y el beneficio deseado:

Venta del producto X
—Costes variables del producto X
—Costes de estructura asignables al producto X

Margen de contribución del producto X

Los costes de estructura asignables a un producto, son aquellos que, a pesar de ser fijos, pueden ser imputados de forma objetiva a dicho producto. Por ejemplo, el personal del servicio postventa suele ser fijo, pero si cada empleado de dicho servicio está asignado a un producto determinado, su coste sería de estructura asignable. En cambio, el sueldo del director de la empresa es un coste de estructura no asignable. Conociendo el margen de contribución que ha de generar cada producto o servicio, las ventas previstas en unidades y los costes asignables a estas ventas ya se puede determinar el porcentaje de margen.

Ejemplo:

Supóngase un hotel que para el año próximo desea conseguir un beneficio de 50.000.000 de pesetas y que se esperan unos gastos de estructura no asignables de 130.000.000 de pesetas. Para cubrir estos 180.000.000 de pesetas se ha decidido que cada producto ofrecido ha de generar el siguiente margen de contribución:

Servicio	Margen de contribución a generar
Habitaciones	110.000.000
Restaurante	40.000.000
Bar	10.000.000
Lavandería	3.000.000
Teléfono	5.000.000
Discoteca	12.000.000
Margen total	180.000.000

Sabiendo que el restaurante ha de generar 40.000.000 de pesetas de margen de contribución, precisamos conocer la ocupación que habrá y, el número de cubiertos que se prevé se van a servir. De esta forma, podemos hacer una estimación del coste variable (alimentos, bebidas) y del coste de estructura asignable al restaurante (cocineros, *maître*, camareros, luz,...) que se va a producir con la ocupación prevista.

Por ejemplo, supóngase que el coste variable previsto asciende a 40.000.000 de pesetas y que el coste de estructura asignable al restaurante ascenderá a 30.000.000 de pesetas.

Por tanto, ya sabemos que el restaurante tendrá unos determinados costes directos (40.000.000 de pesetas de costes variables y 30.000.000 de pesetas de costes de estructura asignables) y además ha de generar un margen de 40.000.000 de pesetas. O sea, el coste de materiales representa el 36,4 % de los ingresos totales que ha de generar.

En el ejemplo anterior, si el coste de la ración era de 883 pesetas el precio de venta debería ser:

$$\text{Precio de venta} = \frac{\text{Costes variables}}{\text{Tanto por uno de margen}} = \frac{883}{0{,}364} = 2.426 \text{ ptas.}$$

El problema podría continuar ya que en la mayoría de los casos no se aplica el mismo porcentaje de margen para todos los productos (en el ejemplo, se trata de los platos o bebidas que se sirven en el restaurante). En este caso, debería calcularse el margen para cada familia de productos o servicios que se venden. Para ello, debería fijarse el margen de contribución que ha de generar cada familia de servicios y proceder de la misma forma que se ha expuesto.

Ejercicio: Cálculo del coste total de un plato (rapé a la marinera).

El cálculo del coste del plato se divide en varias partes. En primer lugar se calcula el coste de los alimentos:

Materia prima	Precio unitario	Cantidad para 4 raciones	Coste de 4 raciones
Rape	1.600 ptas./kg.	600 gr.	960 ptas.
Mejillones	300 ptas./kg.	333 gr.	100 ptas.
Cebolla	5 ptas./ud.	1 unidad	5 ptas.
Tomate	120 ptas./kg.	250 gr.	30 ptas.
Guisantes	260 ptas./kg.	250 gr.	65 ptas.
Almendras	1.200 ptas./kg.	25 gr.	30 ptas.
Limón	20 ptas./ud.	1 unidad	20 ptas.
Vino blanco	300 ptas./l.	0,1 litros	30 ptas.
Ajo	5 ptas./ud.	1 unidad	5 ptas.
Total			1.245 ptas.
Coste para una ración (dividiendo por 4)			311 ptas.

Normalmente, sólo se calcula el coste de las materias primas y para llegar al coste total se aplica un porcentaje como se ha expuesto anteriormente.

De todas formas, se podría calcular también el coste del personal directo de la cocina que ha intervenido en la elaboración del plato. Para ello, se precisa conocer el coste total anual de cada empleado (que incluye el sueldo bruto, la cuota correspondiente de la Seguridad Social y otros conceptos), las horas de trabajo efectivo que trabaja al año y el tiempo destinado para elaborar el producto:

Empleado	Coste total anual empleado	Horas de trabajo efectivo al año	Coste hora empleado	Tiempo destinado elaboración plato	Coste para 4 raciones
Cocinero	5.000.000	1.750	2.857	1/2 h.	1.428
Pinche	1.800.000	1.750	1.029	1/2 h.	514
Total					1.942
Coste para una ración					486

Por tanto, el coste directo total asciende a:

Materias primas	311 ptas.
Mano de obra	486 ptas.
Total coste directo	797 ptas.

El paso siguiente, sería obtener el coste total incluyendo todos los demás costes de difícil asignación (camarero, *maître*, luz, agua, gas, alquiler del local, tributos, etc...). Para calcularlo se podría analizar la relación que hubo en el año anterior entre los costes directos (materias primas y mano de obra directa) y los restantes costes del restaurante. Supongamos que la relación fue la siguiente:

Costes directos	40 %
Resto de costes	60 %
Costes totales	100 %

El coste total del plato de rape a la marinera sería:

$$\text{Coste total} = \frac{\text{Costes directos}}{\text{Tanto por uno que representan los costes directos sobre los costes totales}} = \frac{797}{0{,}40} = 1.992 \text{ ptas.}$$

Para fijar el precio de venta se añadiría al coste total, el margen de beneficio deseado. Por ejemplo, si se desea cargar un margen del 20 %, el precio del plato sería:

Precio de venta = Coste total × 1 más margen deseado =
= 1.992 × 1,20 = 2.390 ptas.

3.5. **El sistema de costes totales o *full costing***

Con este sistema, todos los costes se imputan directa o indirectamente a los productos que vende la empresa.

Es aconsejable para aquellas empresas que deseen conocer los costes de sus productos o servicios y de sus departamentos o funciones. Con este método obtenemos el coste total de un producto o servicio a través de la suma de los costes de cada fase de su elaboración a los que se añaden los costes de las materias primas.

Por ejemplo, supóngase una empresa que produce un producto que pasa por las secciones de mecanizado, pintura y empaquetado. Su coste total se podría obtener como sigue:

Coste total del producto:

Coste de las materias primas precisas
\+ Otros costes variables (comisiones de vendedores, por ejemplo)
\+ Coste de sección de mecanizado
\+ Coste de sección de pintura
\+ Coste de sección de empaquetado

Coste total de una unidad del producto

El problema de este sistema es que requiere seleccionar criterios fiables para la imputación, también denominada reparto o asignación, de los costes fijos.

Para aplicar el sistema *full costing* se siguen los siguientes pasos:

1. Se divide toda la empresa en secciones (márketing, administración, dirección, relaciones públicas, mecanizado, pintura, almacén, compras, etc...). Si hay costes que no son imputables a ninguna sección, se asignarán a una sección de costes generales. Toda sección se caracteriza por tener un responsable y por tener unos costes asignados. En general, las secciones suelen coincidir con los departamentos de la empresa.

2. Se asignarán los costes de un período determinado a cada sección. Cada coste se puede asignar según diferentes criterios. Por ejemplo, los costes de personal en función del número de empleados de cada una, los alquileres en función de los metros cuadrados que ocupa cada sección, la energía según la potencia instalada, la amortización del inmovilizado según los inmovilizados, etc...

De esta forma se consigue conocer el coste de cada sección, uno de los objetivos de la contabilidad analítica (ver figura 3.1).

Costes	Total	Secciones					
		Mec.	Pint.	Empaq.	Mant.	Admón.	Dir.
Consumo Personal Alquileres Amortización Energía Etc.							
Total	140.000	20.200	16.100	38.100	8.900	41.100	16.000

Figura 3.1. Estadística de costes

3. A continuación, como se indica en la figura 3.2, se asignan los costes de las secciones auxiliares a las secciones principales. Las secciones principales son aquellas que intervienen directamente en la elaboración del producto o servicio que produce la empresa (pintura, mecanizado, empaquetado,...) y las auxiliares son las que apo-

yan a las secciones principales (mantenimiento, dirección, relaciones públicas, márketing, administración,...). Unas secciones pueden ser principales en una empresa y auxiliares en otra.

El reparto de los costes de las secciones auxiliares a las principales se hace en función de la dedicación de cada sección auxiliar a cada sección principal. Por ejemplo, el reparto de los gastos de mantenimiento se hará en función del tiempo empleado en reparaciones o mantenimiento de cada una de las otras secciones. Normalmente el reparto se hace con criterios subjetivos como:

— Proporcionalmente a los ingresos que genera cada una de las secciones principales.
— Proporcionalmente a los gastos que tiene cada sección principal.

Se obtiene así el coste total de cada sección principal de la empresa.

En la figura 3.2 se hace el supuesto de que los costes de las secciones auxiliares se reparten:

— 10.000 para la sección de mecanizado,
— 31.000 para la sección de pintura y
— 25.000 para la sección de empaquetado.

Costes	Total	Secciones					
		Mec.	Pint.	Empaq.	Mant.	Admón.	Dir.
Consumo Personal Alquileres Amortización Energía Etc.							
Total	140.000	20.200	16.100	38.100	8.900	41.100	16.000
Reparto de las secciones auxiliares	0	10.000	31.000	25.000	−8.900	−41.100	−16.000
Coste total de las secciones principales	140.000	30.200	47.100	63.100	0	0	0

Figura 3.2. Reparto de las secciones auxiliares

4. En las secciones en que sea posible se tiene que definir la unidad de obra, que es la unidad de medida de la actividad de cada sección. Las unidades de obra suelen ser unidades físicas. Por ejemplo, en la sección de pintura pueden ser los kilogramos de pintura utilizada, en la de empaquetado las unidades empaquetadas, etc. En muchos casos, se utiliza el número de horas de mano de obra como unidad de obra.

5. Una vez se han definido las unidades de obra de cada sección, se dividen los costes totales de cada sección principal por las unidades de obra producidas en el período considerado. En el ejemplo, se hace el supuesto de que la sección de mecanizado ha procesado 1.000 kg. de materia prima, la sección de pintura ha procesado 10.000 kg. y la sección de empaquetado ha procesado 500 unidades de producto. De esta forma obtenemos el coste de cada unidad de obra (ver figura 3.3).

Coste total de las secciones principales 140.000	30.200	47.100	63.100
Número de unidades de obra	1.000	10.000	500
Coste de cada unidad de obra	30,2	4,7	126,2

Figura 3.3. Cálculo del coste de cada unidad de obra

6. Se calculan el número de unidades de obra de cada sección necesarias para la obtención de una unidad de producto. Este número de unidades de obra necesarias, se multiplica por el coste de una unidad de obra en la sección respectiva. Con ello obtenemos los costes de producción del producto por secciones.

7. Para calcular el coste total de una unidad de producto, sumaremos el coste de las materias primas y otros costes variables directamente imputables al coste de las secciones. Por ejemplo, si para

producir una unidad de producto se han necesitado materias primas por valor de 424 pesetas, 20 kilogramos en la sección de mecanizado, 200 kilogramos en la sección de pintura y empaquetado, el coste de una unidad de producto será:

Coste de materias primas	424
Coste de mecanizado (20 kg. × 30,2)	604
Coste de pintura (200 kg. × 4,7)	940
Coste de empaquetado (1 unidad)	126,2
Coste de unidad de producto	2.094,2

De forma que conocemos el coste total del producto y el coste de cada una de las etapas de la elaboración del mismo, pudiendo así optimizar cada una de las etapas del proceso productivo.

3.6. **Ejemplos**

EJEMPLO 3.1. CÁLCULO DE COSTES DE UNA EMPRESA UNIPRODUCTO

Se trata de calcular el precio de coste del pan a partir de los datos siguientes de una panificadora. Se hace el supuesto de que la panificadora produce barras de medio únicamente y de que se trabajan 24 días al mes (semanas de seis días cada una). Se facilitan los datos siguientes:

— *Producción diaria:* 4.000 kg/día.
— *Personal:* Hay 9 empleados. Cada uno representa un coste de 21.000 pesetas/semana, más el 36 % de la Seguridad Social y el 20 % de pagas extras. Por tanto, el coste semanal por empleado será de 32.760 pesetas.
— *Transporte:* Hay cuatro furgones que cada día trabajan 6 horas. Precio por hora = 1.150 pesetas/cada uno.
— *Energía:* 6 pesetas por kg de harina.

— *Materias primas:* Para 4.000 kg, se consume lo siguiente:

3.333 kg de harina	× 40 ptas/kg	=	133.320
67 kg de sal	× 18 ptas/kg	=	1.206
2 m^3 de agua	× 18 ptas/m^3	=	36
133 kg de levadura	× 120 ptas/kg	=	15.960
8 kg de aditivos	× 600 ptas/kg	=	4.800
Total pesetas			155.322

— *Gastos generales:* 320.000 pesetas/mes.
— *Productos:* La barra de medio tiene 0,340 kg de pan y se vende a 49 pesetas la unidad.

Con los datos anteriores, se trata de:

— Calcular el precio de coste unitario de la barra de medio;
— Calcular el beneficio unitario de la barra de medio.

Solución:

Cálculo de los costes totales por mes:

Materias primas:	
Al mes se consumieron: 155.322 pesetas multiplicado por 24 días	3.727.728
Personal:	
Al mes se gastarán: 32.760 pesetas multiplicado por 4 semanas y por 9 empleados	1.179.360
Transporte:	
Al mes se gastarán: 1.150 pesetas multiplicado por 6 horas al día, por 24 días y por 4 furgones	662.400
Energía:	
Al mes se consumen: 3.333 kg de harina por 24 días, o sea 79.992 kg, que multiplicado por 6 pesetas por kg ascienden a	479.952
Gastos generales	320.000
Total pesetas	6.369.440

Cálculo del número de barras de medio producidas al mes:

$$\frac{4.000 \text{ kg/día} \times 24 \text{ días}}{0,340 \text{ kg}} = 282.353 \text{ barras de medio}$$

Cálculo del coste unitario de la barra de medio:

$$\frac{6.369.440 \text{ ptas.}}{282.353 \text{ barras}} = 22,56 \text{ ptas.}$$

Cálculo del beneficio unitario de la barra de medio:

Precio de venta unitario	49,00 ptas.
Precio de coste unitario	22,56 ptas.
Beneficio unitario	26,44 ptas.

EJEMPLO 3.2. CÁLCULO DE COSTES DE UNA EMPRESA MULTIPRODUCTO

Una fábrica de muebles produce mesas y armarios. En relación a la producción del último mes, se facilita la siguiente información:

Unidades producidas			
Mesas	100		
Armarios	200		
Costes variables			
	Total	Mesas	Armarios
Madera	800.000	400.000	400.000
Mano de obra	1.000.000	600.000	400.000
Transportes	400.000	200.000	200.000
Total	2.200.000	1.200.000	1.000.000
Costes fijos			
Encargado	160.000		
Luz, agua	100.000		
Costes generales	740.000		
Total	1.000.000		

Los costes fijos se reparten en proporción al coste de mano de obra (60 % para mesas y 40 % para armarios).

En base a los datos anteriores y aplicando el *full costing*, se hacen los cálculos de la figura 3.4.

	Mesas	Armarios	Total
Costes variables	1.200.000	1.000.000	2.200.000
Costes fijos	600.000	400.000	1.000.000
Costes totales (1)	1.800.000	1.400.000	3.200.000
Unidades (2)	100	200	
Coste unitario (1)/(2)	18.000	7.000	

Figura 3.4. Cálculo del coste unitario

Por tanto, el coste unitario de una mesa es de 18.000 pesetas y el de un armario, 7.000 pesetas.

Capítulo 4

ANÁLISIS DE LOS ESTADOS FINANCIEROS

El análisis de los estados financieros se hace para obtener un diagnóstico del balance y de la cuenta de resultados de la empresa. Este diagnóstico permite detectar problemas que, solucionados a tiempo, garantizan la viabilidad de la empresa.

Los principales problemas que se descubren analizando los estados financieros suelen ser:

— *Estructura financiera deficiente*. Esta situación puede producirse cuando la empresa tiene un capital insuficiente. Este déficit de capital va acompañado normalmente de unas deudas excesivas que disminuyen considerablemente los beneficios. Para solucionar este problema, es necesario que los propietarios de la empresa aporten más capital.

  El balance también puede estar desequilibrado cuando hay un exceso de deudas a corto plazo, ya que se puede producir la suspensión de pagos.

— *Rentabilidad insuficiente* causada por unas ventas reducidas, por unos precios de venta bajos o por unos gastos excesivos. Esta situación ha de solventarse, ya que si no la empresa puede llegar a tener pérdidas.

A continuación, se introduce cómo han de analizarse:

— el balance de situación y
— la cuenta de resultados o de pérdidas y ganancias.

4.1. Análisis del balance

El análisis del balance, al que también se llama análisis patrimonial, consiste en hacer un diagnóstico de la empresa a partir del estudio de uno o más balances.

El análisis patrimonial puede hacerse con un solo balance (análisis patrimonial estático) o con varios balances (análisis patrimonial dinámico), para ver la evolución de la empresa.

4.1.1. ANÁLISIS DE UN SOLO BALANCE (ANÁLISIS PATRIMONIAL ESTÁTICO)

El análisis de un solo balance suele incluir las etapas siguientes:

a) cálculo de porcentajes;
b) representación gráfica;
c) estudio de los ratios.

a) *Cálculo de porcentajes*

El cálculo de porcentajes consiste en dividir cada elemento del balance por el total del activo. Así, se puede apreciar la importancia de cada elemento con respecto al total del activo o pasivo.

A continuación, se procederá a calcular los porcentajes del balance de la figura 4.1.

Activo		Pasivo	
Inmovilizado	495	No exigible	405
Existencias	360	Exigible a medio plazo	270
Realizable	180	Exigible a corto plazo	450
Disponible	90		
Total activo	1.125	Total pasivo	1.125

Figura 4.1. Balance en valores absolutos

Los porcentajes se calculan dividiendo cada grupo de cuentas por el total del activo y se multiplica por 100. Por ejemplo, para el inmovilizado se hará:

$$\frac{495}{1.125} \times 100 = 44\,\%$$

Para las existencias, se hará:

$$\frac{360}{1.125} \times 100 = 32\,\%$$

Para el no exigible, se hará:

$$\frac{460}{1.125} \times 100 = 36\,\%$$

El balance, en porcentajes, quedará como se muestra en la figura 4.2.

Activo			Pasivo		
	Importe	Porcentaje		Importe	Porcentaje
Inmovilizado	495	44	No exigible	405	36
Existencias	360	32	Exigible a m.p.	270	24
Realizable	180	16	Exigible a c.p.	450	40
Disponible	90	8			
	1.125	100 %		1.125	100 %

Figura 4.2. Balance en valores absolutos y en porcentajes

Obsérvese que los porcentajes del activo y del pasivo suman 100. Una vez se han calculado los porcentajes, ya se pueden obtener algunas conclusiones:

1. Se ha de comprobar si los componentes del activo circulante (es decir, existencias, realizable y disponible) superan al exigible a corto plazo. En caso contrario, la empresa podría tener

problemas de liquidez, ya que el activo circulante representa a todos los activos que se han de convertir en dinero antes de un año y el exigible a corto plazo refleja todas las deudas que se han de pagar antes de un año.

Para que no haya problemas de liquidez, lo que se cobre antes de un año ha de ser mayor que todo lo que se ha de pagar en el mismo período.

El activo circulante ha de ser mayor que el exigible a corto plazo

En el balance anterior, el activo circulante (existencias, realizable y disponible) asciende a 630 (o al 56 %) y, por tanto, supera al exigible a corto plazo que asciende a 450 (o al 49 %). Se puede afirmar que, en principio, esta empresa no ha de tener problemas de liquidez antes de un año.

2. En segundo lugar, se ha de analizar el peso de las deudas, el exigible no ha de ser superior al 60 % del pasivo.

Las deudas, en general, no han de superar el 60 % del pasivo

En el ejemplo que se está estudiando, las deudas representan el 64 % (suma del exigible a medio plazo y del exigible a corto plazo) del pasivo. Por tanto, esta empresa tiene un exceso de deudas o, lo que es lo mismo, está descapitalizada. Cuando una empresa tiene un exceso de deudas significa que está en manos de sus acreedores.

3. Seguidamente, se puede analizar la composición del activo y del pasivo del balance. Así, en el balance que estamos estudiando, el activo se compone, básicamente, de inmovilizado y existencias. El pasivo está formado, principalmente, por exigible a corto plazo y no exigible.

En definitiva, una vez se han calculado los porcentajes, se puede: comparar el activo circulante con el exigible a corto plazo; analizar el peso de la deuda en el pasivo y estudiar la composición del activo y del pasivo:

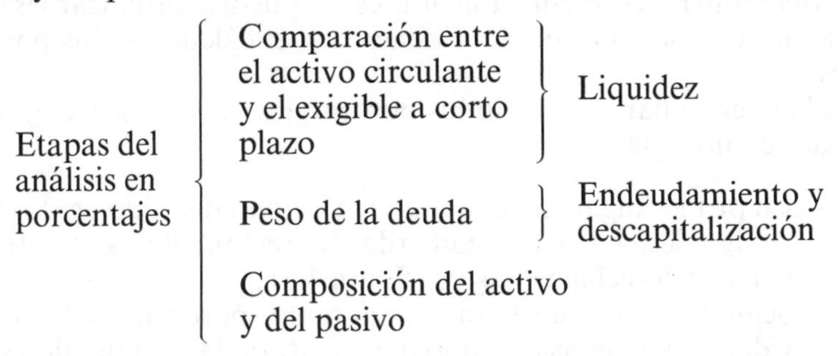

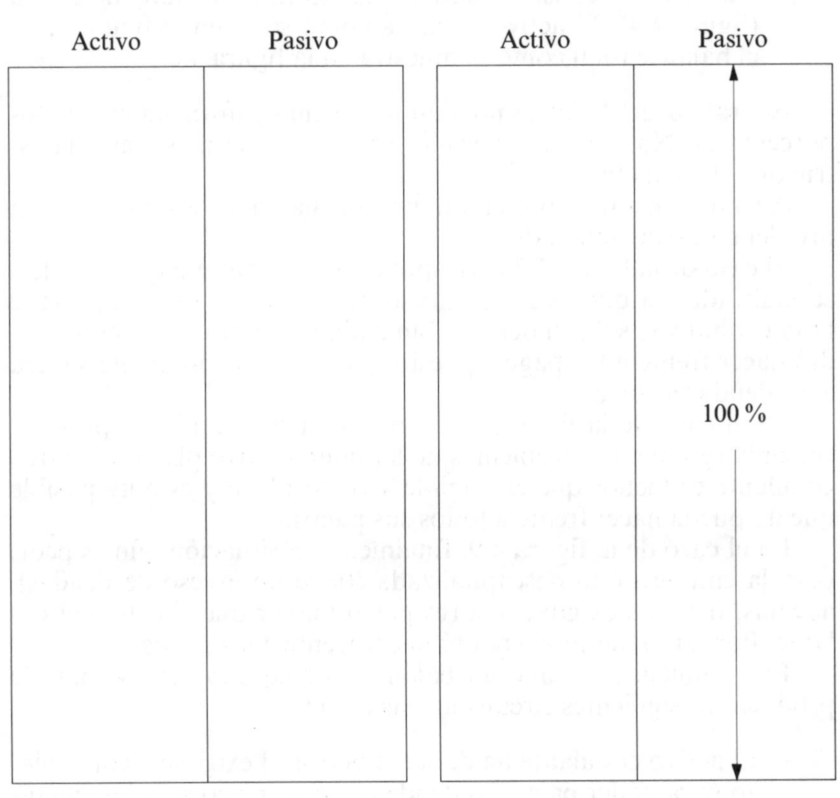

Figura 4.3. Representación gráfica del activo y el pasivo

Figura 4.4. Representación gráfica del balance, en porcentajes

b) *Representación gráfica del balance*

Mediante la representación gráfica, se pueden visualizar las conclusiones que se han podido obtener con el cálculo de los porcentajes.

Una vez se han calculado los porcentajes del balance, el gráfico se hace como sigue:

— En primer lugar, se dibuja un rectángulo dividido en dos partes iguales. La parte izquierda del rectángulo es el activo y la parte derecha, el pasivo (figura 4.3)
— Seguidamente, se sitúan los diferentes porcentajes del activo y del pasivo, considerando que la altura del rectángulo es 100 (figura 4.4). El activo quedará como se ve en la figura 4.5 y el balance total como se muestra en la figura 4.6.

El gráfico del balance no suministra más información que los porcentajes. No obstante, permite ver, de forma más clara, la estructura del balance.

A continuación, se presentan diversos balances de empresas con problemas de distinta índole.

El caso de la figura 4.7 corresponde a una empresa que está descapitalizada, ya que tiene un exceso de deudas. A esta empresa le falta capital y le sobran deudas. Sin embargo, por el momento, podrá hacer frente a los pagos, puesto que el activo circulante supera a las deudas a corto.

En el caso de la figura 4.8, tiene suficientes capitales propios, sin embargo, tendrá problemas de liquidez a corto plazo. El activo circulante es menor que el exigible a corto plazo y es muy posible que no pueda hacer frente a todos sus pagos.

En el caso de la figura 4.9, finalmente la situación aún es peor, pues la empresa está descapitalizada (tiene un exceso de deudas), además, tiene un exigible a corto plazo mayor que el activo circulante. Por tanto, tampoco podrá hacer frente a los pagos.

En resumen, para que un balance esté equilibrado, se han de producir las siguientes circunstancias al menos:

— El activo circulante ha de ser superior al exigible a corto plazo para poder pagar las deudas a corto plazo sin ninguna dificultad.
— Las deudas no han de representar más del 60 % del pasivo.

En el ejemplo de la figura 4.10 se presenta un caso de balance equilibrado.

Activo	Pasivo
Inmovilizado 44 %	
Existencias 32 %	
Realizable 16 %	
Disponible 8 %	

Figura 4.5. Representación gráfica de los grupos patrimoniales del activo en porcentajes

Activo	Pasivo
Inmovilizado 44 %	No exigible 36 %
Existencias 32 %	Exigible a medio plazo 24 %
Realizable 16 %	Exigible a corto plazo 40 %
Disponible 8 %	

Figura 4.6. Representación gráfica del balance en porcentajes según grupos patrimoniales

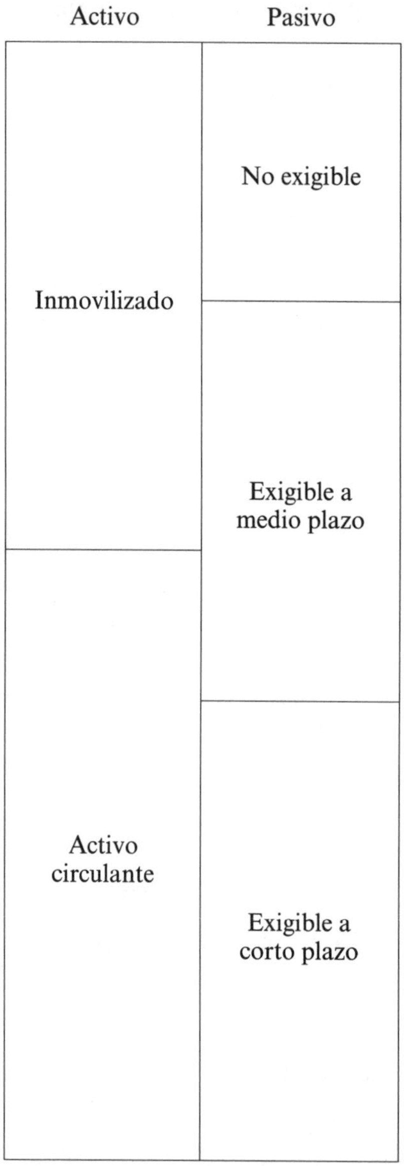

Activo	Pasivo
Inmovilizado	No exigible
	Exigible a medio plazo
Activo circulante	Exigible a corto plazo

Figura 4.7. Ejemplo de empresa descapitalizada

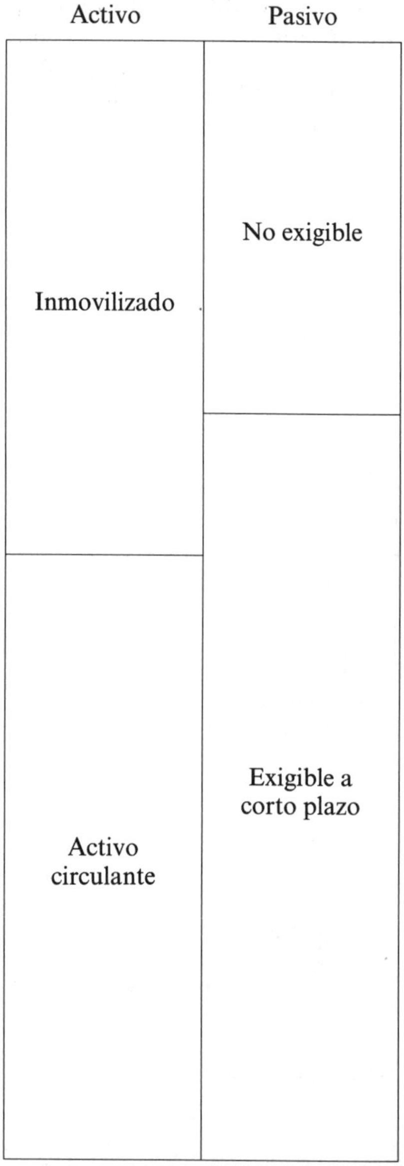

Activo	Pasivo
Inmovilizado	No exigible
Activo circulante	Exigible a corto plazo

Figura 4.8. Ejemplo de empresa con excesivo exigible a corto plazo

Activo	Pasivo
Inmovilizado	No exigible
	Exigible a medio plazo
Activo circulante	Exigible a corto plazo

Figura 4.9. Ejemplo de empresa descapitalizada y con excesivas deudas a corto plazo

Activo	Pasivo
Inmovilizado	No exigible
Activo circulante	Exigible a largo plazo
	Exigible a corto plazo

Figura 4.10. Ejemplo de balance equilibrado

c) *Estudio de los ratios*

Un ratio es el cociente entre dos valores elegidos, de tal manera que tenga un significado racional para estudiar la situación. El cálculo de ratios del balance permite completar el diagnóstico de la empresa.

Aspectos a considerar en el uso de ratios

¿Cuántos ratios emplear? Dado que existen cientos de ratios es conveniente hacer una selección de los más interesantes, para cada empresa en concreto. Las empresas no son todas iguales y, por tanto, los ratios a utilizar varían en cada caso.

El diagnóstico de una empresa se debería hacer comparando los ratios de otras empresas del mismo sector económico, de semejante dimensión y de la misma zona geográfica.

Dado que en la mayoría de los países hay muchas empresas que no facilitan sus datos contables reales, es difícil saber cuál es el valor óptimo de los ratios. Sin embargo, en España se publican periódicamente diversos estudios sobre los valores medios por sectores de los ratios más importantes. Por ejemplo, pueden analizarse los estudios que realiza el Banco de España, Dun & Bradstreet, comunidades autónomas, etc.

Para una empresa dada, otra vía para conocer el valor óptimo de sus ratios sería analizar su evolución a lo largo de varios años.

A continuación, se estudian algunos de los ratios más interesantes.

Ratio de endeudamiento

El ratio de endeudamiento se calcula dividiendo el exigible total, o sea todas las deudas, por el pasivo total.

$$\text{Ratio de endeudamiento} = \frac{\text{Exigible total}}{\text{Pasivo total}}$$

El valor de este ratio no ha de ser mayor de 0,6, ya que si no se trataría de una empresa con exceso de deudas.

Ratio de endeudamiento:
- Mayor que 0,5: exceso de deudas
- Igual a 0,6: correcto
- Menor que 0,6: no hay exceso de deudas. La empresa está capitalizada.

Ejemplo: El pasivo total de una empresa es de 50.000.000 y el exigible total de 40.000.000. El ratio de endeudamiento será:

$$\text{Ratio de endeudamiento} = \frac{40.000.000}{50.000.000} = 0{,}8$$

Por tanto, esta empresa tiene un exceso de deudas.

Ratio de calidad de la deuda

Así como el ratio anterior indica si la empresa tiene mucha deuda o no, el ratio de la calidad de la deuda estudia la composición de ésta. Se calcula dividiendo el exigible a corto plazo por el exigible total:

$$\text{Ratio de calidad de la deuda} = \frac{\text{Exigible a corto plazo}}{\text{Exigible total}}$$

Cuanto menor sea el valor de este ratio mejor será la calidad de la deuda de la empresa. A la deuda a corto plazo se la considera de poca calidad, ya que se ha de devolver antes que el exigible a medio y largo plazo.

Si el valor de este ratio es muy elevado, significa que la deuda que tiene la empresa es de baja calidad, ya que predomina la deuda a corto plazo.

Ejemplo: El exigible total de una empresa es de 20.000.000 y el exigible a corto plazo de 5.000.000. El ratio de calidad de la deuda de esta empresa será:

$$\text{Ratio de calidad de la deuda} = \frac{5.000.000}{20.000.000} = 0{,}25$$

De toda la deuda de esta empresa, sólo una cuarta parte deberá devolverse a corto plazo.

Ratio de liquidez

El ratio de liquidez se calcula dividiendo el activo circulante por el exigible a corto plazo. Su valor ha de ser superior a 1, ya que, en caso contrario, la empresa puede tener problemas de liquidez

$$\text{Ratio de liquidez} = \frac{\text{Activo circulante}}{\text{Exigible a corto plazo}}$$

El valor ideal de este ratio acostumbra a fijarse entre 1,7 y 1,9.

De esta forma, el activo circulante será mucho mayor que el exigible a corto plazo.

Ejemplo: El activo circulante de una empresa es de 18.000.000 y las deudas a corto plazo de 10.000.000. el ratio de liquidez será:

$$\text{Ratio de liquidez} = \frac{18.000.000}{10.000.000} = 1{,}8$$

Por tanto, la empresa está entre los límites aceptables del ratio de liquidez.

Ratio de plazo de cobro

Este ratio se calcula dividiendo el saldo de la cuenta de clientes en el balance por la cifra de ventas anual y todo ello se multiplica por 365 días:

$$\text{Ratio de plazo de cobro} = \frac{\text{Clientes}}{\text{Ventas}} \times 365$$

Al saldo de clientes, hay que añadir todos aquellos importes que están pendientes de pago por parte de los clientes (efectos a cobrar, efectos descontados pendientes de vencer...).

Su valor indica el número de días que la empresa tarda en cobrar, en promedio, de sus clientes.

Cuanto menor sea el valor de este ratio, será mejor porque así la empresa cobrará antes de sus clientes.

Ejemplo: Una empresa tiene un saldo de clientes de 32.850.000 y las ventas totales han supuesto 266.450.000. El ratio de plazo de cobro será:

$$\text{Ratio de plazo de cobro} = \frac{32.850.000}{266.450.000} \times 365 = 45$$

Por tanto, el plazo medio de cobro será de 45 días.

Ratio de plazo de pago

Se calcula dividiendo el saldo de la cuenta de proveedores por las compras anuales y multiplicando por 365:

$$\text{Ratio de plazo de pago} = \frac{\text{Proveedores}}{\text{Compras}} \times 365$$

Su valor indica el número de días que la empresa tarda en pagar en promedio a sus proveedores. En principio, cuanto mayor sea el valor de este ratio mejor.

Ejemplo: Las compras de una empresa han sido de 98.550.000 y el saldo de proveedores de 29.565.000. El ratio de plazo de pago será:

$$\text{Ratio de plazo de pago} = \frac{29.565.000}{98.550.000} \times 365 = 109{,}5$$

Por tanto, el promedio de plazo de pago será de 109,5 días.

Ejemplo de uso de los ratios

En la figura 4.11 se relaciona un balance del que se calcularán los ratios explicados.

Activo		Pasivo	
Inmovilizado	423	Capital	405
Existencias	52	Exigible a largo plazo	252
Clientes	600	Proveedores	468
Disponible	50		
Total	1.125	Total	1.125

Figura 4.11. Ejemplo de balance

Se sabe también que las ventas anuales ascienden a 2.500 y las compras anuales a 1.898.

El ratio de endeudamiento será igual a:

$$\text{Endeudamiento} = \frac{\text{Exigible total}}{\text{Pasivo total}} = \frac{720}{1.125} = 0{,}64$$

Dado que el valor del ratio es superior a 0,60, se puede afirmar que esta empresa tiene un exceso de deuda y, por tanto, le falta algo de capital.

El ratio de calidad de la deuda será igual a:

$$\text{Calidad de la deuda} = \frac{\text{Exigible a corto plazo}}{\text{Exigible total}} = \frac{468}{720} = 0{,}65$$

El valor de este ratio indica que el 65 % de todas las deudas son a corto plazo.

El ratio de liquidez será:

$$\text{Liquidez} = \frac{\text{Activo circulante}}{\text{Exigible a corto plazo}} = \frac{702}{468} = 1{,}5$$

El ratio de liquidez es inferior a 1,7 y, por tanto, indica que la empresa no se halla en una situación de excelente liquidez. No obstante, la situación no es totalmente desfavorable, ya que, al ser este ratio superior a 1, indica que el activo circulante es mayor que el exigible a corto plazo.

El plazo de cobro de esta empresa será, suponiendo que la totalidad del realizable corresponde a clientes:

$$\text{Plazo de cobro} = \frac{\text{Clientes}}{\text{Ventas}} \times 365 = \frac{600}{2.500} \times 365 = 87{,}6 \text{ días}$$

Ratio	Valor	Significado
Endeudamiento	0,64	La empresa está muy endeudada.
Calidad de la deuda	0,65	El 65 % de la deuda es a corto plazo.
Liquidez	1,5	La empresa no está en una situación de liquidez muy boyante.
Plazo de cobro	87,6 días	Los clientes pagan a la empresa un mes después de la venta.
Plazo de pago	90 días	La empresa paga a sus proveedores a los 90 días de la compra.

Figura 4.12. Cuadro de ratios calculados según datos de la figura anterior

El valor del ratio indica que esta empresa tarda en cobrar 87,6 días, en promedio, de sus clientes. Por tanto, los clientes gozan de un plazo de unos tres meses para pagar sus compras a esta empresa, aproximadamente.

El ratio del plazo de pago se calcula así, considerando que la totalidad del exigible a corto plazo son proveedores:

$$\text{Plazo de pago} = \frac{\text{Proveedores}}{\text{Compras}} \times 365 = \frac{468}{1.898} \times 365 = 90 \text{ días}$$

Por tanto, esta empresa paga a sus proveedores 90 días después de hacer la compra.

Resumiendo (véase figura 4.12): la empresa analizada tiene un balance desequilibrado y debería aumentar el capital y reducir las deudas a corto plazo.

4.1.2. ANÁLISIS DE DOS O MÁS BALANCES (ANÁLISIS PATRIMONIAL DINÁMICO)

El análisis patrimonial dinámico consiste en el análisis conjunto de dos o más balances. Este análisis es más completo que el estático, ya que, además de estudiar un balance en un momento dado, analiza su evolución a lo largo del tiempo.

El análisis dinámico comprende las mismas fases que se han estudiado para un solo balance:

a) cálculo de porcentajes,
b) representación gráfica,
c) estudio de los ratios.

A continuación, se explican estas tres fases en el ejemplo de la figura 4.13.

a) *Cálculo de porcentajes*

Esta fase ya se ha estudiado referida al análisis de un solo balance. Ahora, lo haremos referido a dos. En la figura 4.14, se relacionan los dos balances de situación de la figura 4.13, expresados en porcentajes.

En los porcentajes anteriores, se puede apreciar que, mientras el activo casi no ha variado de un año a otro, en el pasivo se han producido variaciones importantes. Así, el no exigible ha disminuido mucho y, en cambio, las deudas han aumentado considerablemente, sobre todo a corto plazo. En definitiva, ha aumentado el riesgo de la empresa, ya que sus deudas son muy superiores.

b) *Representación gráfica de los balances*

La representación gráfica de dos o más balances se hace de la misma forma que se ha estudiado para un solo balance.

En el ejemplo que estamos estudiando, la representación gráfica de los balances será como se muestra en las figuras 4.15 y 4.16.

Los gráficos de estas dos figuras permiten ver más claramente lo que los porcentajes ya habían permitido detectar.

En el análisis dinámico, se pueden presentar también las evoluciones del activo y del pasivo por separado, a fin de resaltar de forma más clara las variaciones producidas.

Así, en la figura 4.17, se puede apreciar que la evolución del activo no ha sufrido variaciones importantes: ligera disminución del inmovilizado, las existencias permanecen porcentualmente igual, el realizable aumenta ligeramente y el disponible disminuye un poco.

	31-12-19X1	31-12-19X2
Activo		
Inmovilizado	480	1.096
Existencias	700	959
Realizable	350	548
Disponible	100	137
	2.090	2.740
Pasivo		
No exigible	950	959
Exigible a medio plazo	600	822
Exigible a corto plazo	450	959
	2.090	2.740

Figura 4.13. Balances de una misma empresa, correspondientes a los años 19X1 y 19X2

El pasivo, por su parte (figura 4.18), sí ha sufrido variaciones importantes. La empresa se va descapitalizando a ojos vista, pues el no exigible ha pasado de significar un 47,5 % a un 35 %. Por contra, aunque el exigible a medio plazo se mantiene estable, el exigible a corto plazo ha aumentado peligrosamente.

	31-12-19X1	31-12-19X2
Activo		
Inmovilizado	42,0 %	40 %
Existencias	35,0 %	35 %
Realizable	17,5 %	20 %
Disponible	5,5 %	5 %
	100,0 %	100 %
Pasivo		
No exigible	47,5 %	35 %
Exigible a medio plazo	30,0 %	30 %
Exigible a corto plazo	22,5 %	35 %
	100,0 %	100 %

Figura 4.14. Balances expresados en porcentajes, correspondientes a la empresa de la figura anterior

Activo	Pasivo
Inmovilizado 42 %	No exigible 47,5 %
Existencias 35 %	Exigible a medio plazo 30 %
Realizable 17,5 %	Exigible a corto plazo 22,5 %
Disponible 5,5 %	

Figura 4.15. Balance del año 19X1 en porcentajes

Activo	Pasivo
Inmovilizado 40 %	No exigible 35 %
Existencias 35 %	Exigible a medio plazo 30 %
Realizable 20 %	Exigible a corto plazo 35 %
Disponible 5 %	

Figura 4.16. Balance del año 19X2 en porcentajes

Activo	Activo
Inmovilizado 42 %	Inmovilizado 40 %
Existencias 35 %	Existencias 35 %
Realizable 17,5 %	Realizable 20 %
Disponible 5,5 %	Disponible 5 %

Figura 4.17. Evolución comparativa del activo

Pasivo	Pasivo
No exigible 47,5 %	No exigible 35 %
Exigible a medio plazo 30 %	Exigible a medio plazo 30 %
Exigible a corto plazo 22,5 %	Exigible a corto plazo 35 %

Figura 4.18. Evolución comparativa del pasivo

c) *Estudio de los ratios*

Los ratios se calculan tal como se ha estudiado para un solo balance. El análisis dinámico permitirá apreciar la evolución de los ratios a lo largo del tiempo, con lo cual las conclusiones obtenidas podrían ser mucho más matizadas.

A continuación, se calculan los ratios de los balances anteriores, teniendo en cuenta las consideraciones siguientes:

— el saldo de clientes equivale al total del realizable;
— el saldo de proveedores equivale al total del exigible a corto plazo;
— las ventas de los dos años fueron:
  año 19X1: 2.000
  año 19X2: 2.500
— las compras de los dos años fueron:

año 19X1: 1.600
año 19X2: 1.900

El valor de los ratios será el que se puede ver en el cuadro de la figura 4.19.

Ratios	19X1	19X2
Endeudamiento $= \frac{\text{Exigible total}}{\text{Pasivo total}}$	$\frac{1.050}{2.000} = 0{,}52$	$\frac{1.781}{2.740} = 0{,}65$
Calidad de la deuda $= \frac{\text{Exigible a corto plazo}}{\text{Exigible total}}$	$\frac{450}{1.050} = 0{,}43$	$\frac{959}{1.781} = 0{,}54$
Liquidez $= \frac{\text{Activo circulante}}{\text{Exigible a corto plazo}}$	$\frac{1.160}{450} = 2{,}57$	$\frac{1.644}{959} = 1{,}71$
Plazo de cobro $= \frac{\text{Clientes}}{\text{Ventas}} \times 365$	$\frac{350}{2.000} \times 365 = 63{,}8$ días	$\frac{548}{2.500} \times 365 = 80$ días
Plazo de pago $= \frac{\text{Proveedores}}{\text{Compras}} \times 365$	$\frac{450}{1.600} \times 365 = 102{,}6$ días	$\frac{959}{1.900} \times 365 = 184{,}2$ días

Figura 4.19. Cuadro comparativo de ratios

La interpretación de los ratios de esta figura es la siguiente:

— Respecto al ratio de endeudamiento, las deudas de la empresa están aumentando peligrosamente, pues han pasado del 0,52 al 0,65. Recordemos que este ratio no debe ser superior a 0,60. La empresa está descapitalizándose.
— Por el ratio de calidad de la deuda, vemos que la situación también ha empeorado, pues ha pasado de 0,43 a 0,54. Es decir, que en 19X1, la deuda a corto plazo era inferior a la mitad de la deuda total. Sin embargo, en 19X2 la deuda a corto plazo supone más de la mitad de la deuda total.
— El ratio de liquidez muestra que ésta también ha disminuido. No obstante, sigue teniendo una liquidez aceptable, pues el ratio del segundo año todavía asciende a 1,71.
— Respecto al plazo de cobro a los clientes, la empresa cobra un poco más tarde, pues se ha pasado de una media de 63,8 días, en 19X1, a 80 días, en 19X2.

— Finalmente, el plazo de pago a los proveedores también se ha alargado considerablemente, pasando de un promedio de 102,6 días, en 19X1, a 184,2 días, en 19X2.

Resumiendo, en el ejemplo estudiado, la empresa se ha descapitalizado y cobra más tarde de los clientes. Sin embargo, la liquidez sigue siendo correcta.

4.2. **Análisis del resultado**

El análisis económico consiste en el análisis de la cuenta de resultados. Las etapas del análisis económico pueden ser:

— cálculo de porcentajes con respecto al volumen de ventas;
— representación gráfica de la cuenta de resultados;
— tasa de expansión de las ventas;
— destino de cada 100 unidades monetarias vendidas;
— análisis de los gastos;
— el punto de equilibrio de la empresa.

4.2.1. CÁLCULO DE PORCENTAJES

Con el cálculo de porcentajes, se puede apreciar el peso de cada concepto respecto al volumen de ventas. Si se hace este cálculo para dos o más cuentas de explotación, se podrá comprobar la evolución que presentan los gastos, ingresos y beneficios a lo largo del tiempo.

Los porcentajes se calculan dividiendo el importe de cada partida por las ventas y el resultado se multiplica por 100. En definitiva, las cuentas de pérdidas y ganancias se expresan en porcentajes sobre las ventas.

En el cuadro de la figura 4.20, se han calculado los porcentajes de dos cuentas de pérdidas y ganancias, correspondientes a los años 19X1 y 19X2.

De la comparación de las dos cuentas de pérdidas y ganancias de la figura 4.20, se puede concluir lo siguiente:

— Las ventas han aumentado en valores absolutos en 300 y el beneficio en 90, pasando del 8,5 % de las ventas al 12 %.
— El aumento del beneficio neto en % se ha debido, pese a un

Concepto	19X1		19X2	
	Importe	%	Importe	%
Ventas	1.200	100	1.500	100
– Coste de las ventas	– 600	– 50	– 780	– 52
= Margen bruto	600	50	720	48
– Costes fijos	– 450	– 37,5	– 450	– 30
= Beneficio antes de int. e imp.	150	12,5	270	18
– Cargas financieras	– 30	– 2,5	– 30	– 2
= Beneficio antes de impuestos	120	10	240	16
– Impuesto de sociedades	– 30	– 2,5	– 60	– 4
= Beneficio neto	90	8,5	180	12

Figura 4.20. Análisis de las cuentas de pérdidas y ganancias de los años 19X1 y 19X2

ligero aumento del coste de las ventas y al gran aumento de los impuestos, a que han disminuido los costes fijos (pasan del 37,5 % al 30 %) y al ligero descenso de las cargas financieras que pasan del 2,5 % al 2 %. Evidentemente, la mejora de los resultados se ha debido básicamente a la disminución de los costes fijos, que, aunque en valores absolutos se mantienen estables, en porcentaje bajan 7,5 puntos.

4.2.2. REPRESENTACIÓN GRÁFICA

Al igual que en el balance, la representación gráfica de la cuenta de pérdidas y ganancias permite visualizar lo dicho con los porcentajes. En las figuras 4.21 y 4.22, se han presentado gráficamente las cuentas de pérdidas y ganancias de los años 19X1 y 19X2, respectivamente. A la derecha de cada uno de los gráficos, se ponen las ventas y, a la izquierda, el destino de dichas ventas.

Para comparar mejor los gastos de un año con otro, se puede hacer un gráfico comparativo como el que se muestra en la figura 4.23. De esta manera, es más fácil de comparar la tendencia de la cuenta de pérdidas y ganancias.

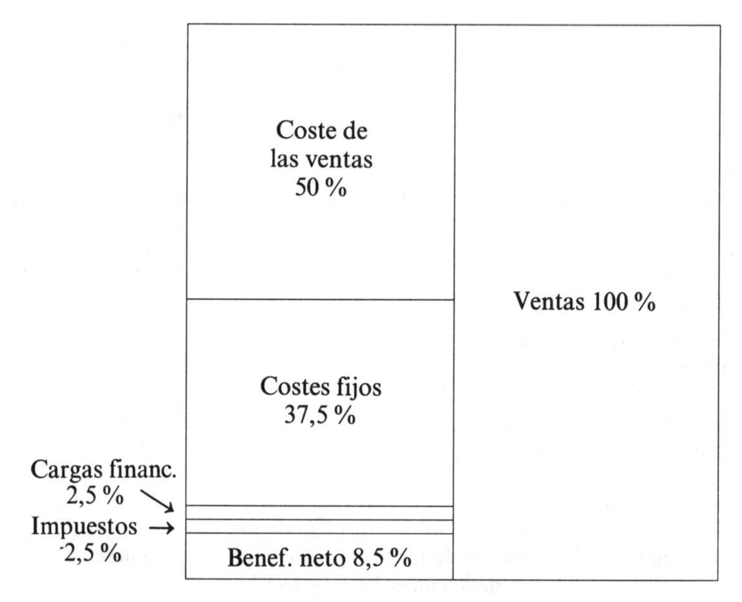

Figura 4.21. Cuenta de pérdidas y ganancias del año 19X1

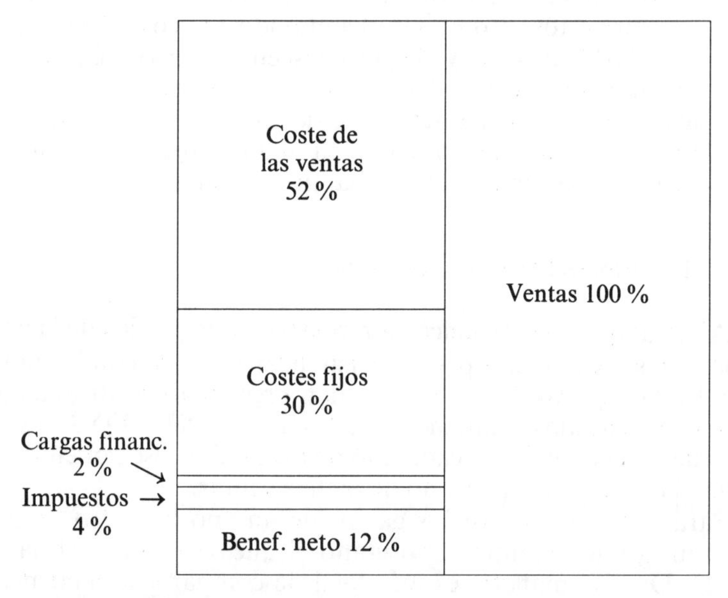

Figura 4.22. Cuenta de pérdidas y ganancias del año 19X2

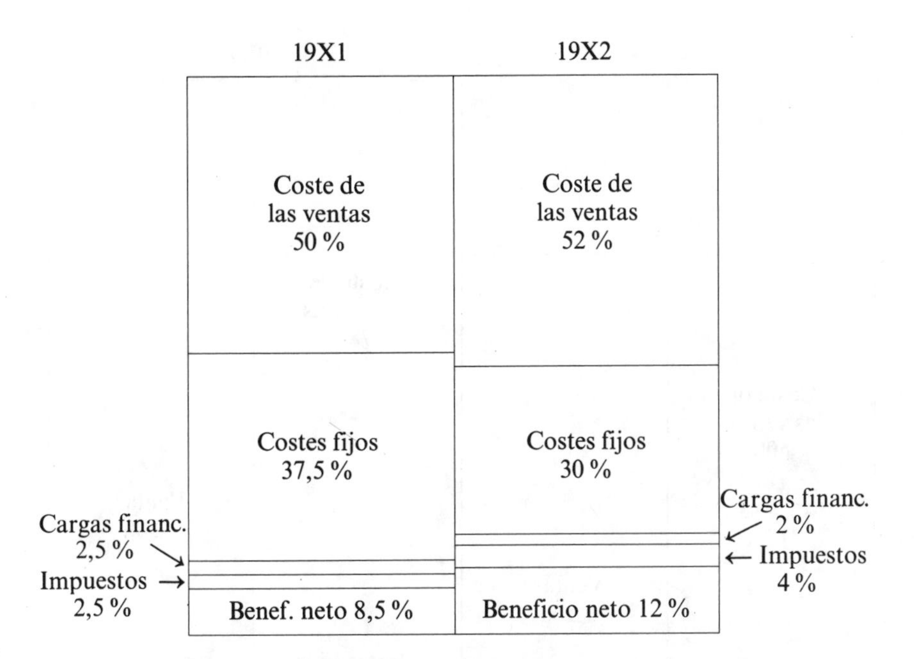

Figura 4.23. Cuentas de pérdidas y ganancias comparativas de los años 19X1 y 19X2

También puede hacerse la representación en proporción a los valores monetarios absolutos, como muestra la figura 4.24. Así, se refleja la expansión de la empresa en valores absolutos.

4.2.3. Tasa de expansión de las ventas

La tasa de expansión de las ventas se puede medir mediante el ratio siguiente:

$$\text{Tasa de expansión} = \frac{\text{Ventas del año n}}{\text{Ventas del año n} - 1}$$

Si calculamos el ratio con las cifras de la figura 4.20, obtendremos:

$$\text{Tasa de expansión} = \frac{1.500}{1.200} = 1{,}25$$

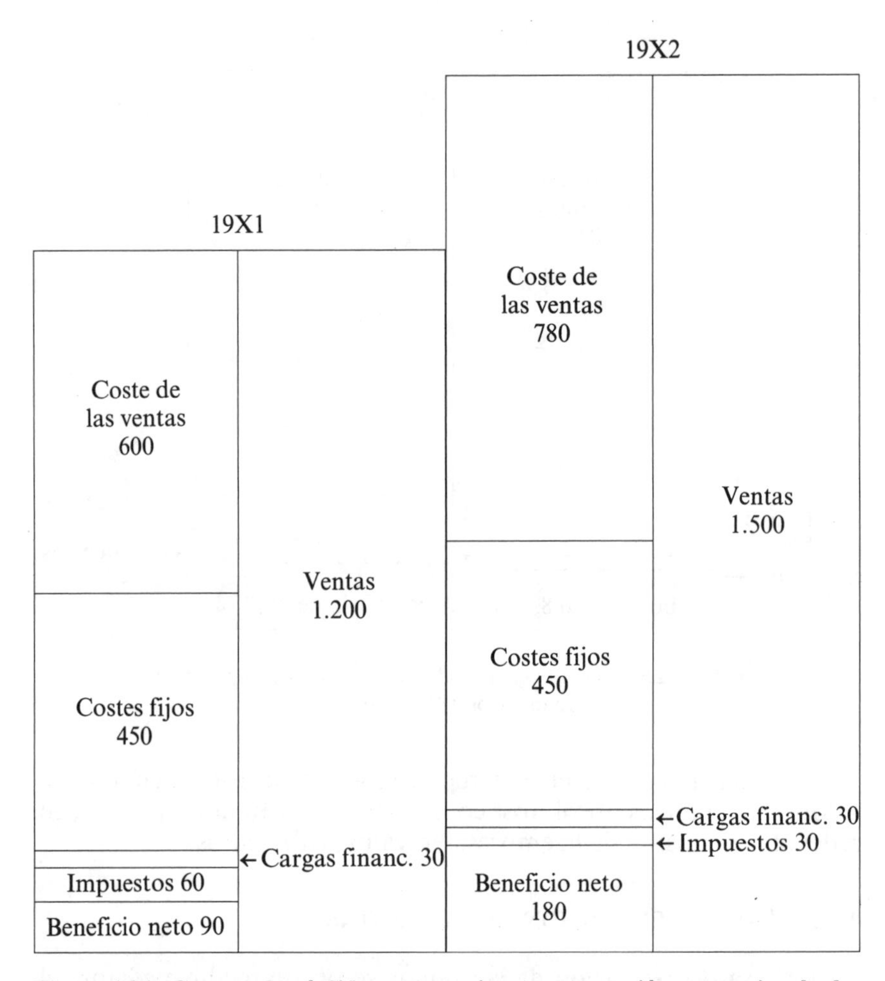

Figura 4.24. Cuentas de pérdidas y ganancias: representación proporcional a los valores absolutos

Lo cual indicaría que, en 19X2, ha habido una expansión del 25 % con respecto al año 19X1.

Dado que una gran parte del aumento de las ventas se debe siempre a la inflación, es conveniente aislar la inflación para conocer la expansión exacta de la empresa. Para ello, se pueden utilizar las cifras de ventas reduciendo el último año de acuerdo con el índice de inflación que facilita el organismo oficial correspondiente.

4.2.4. Destino de cada 100 unidades monetarias vendidas

Es una variedad del cálculo de porcentajes de la cuenta de resultados. Para hallar el destino de cada 100 unidades monetarias vendidas, se clasifican todos los gastos según su naturaleza (materiales consumidos, mano de obra directa, amortizaciones, comisiones, otros gastos directos, mano de obra indirecta, alquileres, tributos, etc.).

Esta clasificación es lo que se ha hecho en el ejemplo de la figura 4.25.

		19X1	19X2
	Ventas	1.200	1.400
Coste de las ventas	Materiales consumidos	−400	−500
	Mano de obra directa	−250	−290
	Comisiones	−120	−140
	Amortizaciones	− 50	− 50
	Otros gastos directos	− 70	− 80
Gastos fijos	Mano de obra indirecta	−100	−160
	Alquileres	− 40	− 40
	Luz, agua, gas	− 30	− 25
	Tributos	− 30	− 20
	Impuestos sobre el beneficio	− 10	− 2
	Gastos financieros	− 50	− 82
	Beneficio neto	50	11

Figura 4.25. Ejemplo de clasificación de los gastos, según su naturaleza

Seguidamente, se calcula el porcentaje que cada gasto supone sobre las ventas. Es lo que se ha hecho en el cuadro de la figura 4.26. De él, se deduce que cada 100 unidades vendidas se han repartido, según muestra la figura 4.27.

Del estudio de las tres figuras anteriores, se pueden sacar las siguientes conclusiones:

—La suma total de los gastos variables ha pasado del 74 %

		19X1		19X2	
		Importe	%	Importe	%
Gastos variables					
Materiales consumidos	(+)	400	33	500	36
Mano de obra directa	(+)	250	21	290	21
Comisiones	(+)	120	10	140	10
Amortizaciones	(+)	50	4	50	3
Otros gastos directos	(+)	70	6	80	6
Gastos fijos					
Mano de obra indirecta	(+)	100	9	160	11
Alquileres	(+)	40	3	40	3
Luz, agua, gas	(+)	30	2,5	25	2
Tributos	(+)	30	2,5	20	1
Gastos financieros	(+)	50	4	82	6
Impuesto sociedades	(+)	10	1	2	0,2
Beneficio neto	(+)	50	4	11	0,8
Ventas (suma de todos los conceptos superiores)	(=)	1.200	100	1.400	100

Figura 4.26. Porcentaje de cada gasto respecto a las ventas

al 76 % y se ha debido, principalmente, al aumento de los materiales consumidos, que pasan del 33 % al 36 %, pese a la disminución de las amortizaciones, que bajan del 4 % al 3 %.

— Los gastos fijos, pese a no variar de forma global (el 17 % supone la suma de todos ellos para los dos años), han tenido importantes oscilaciones. La mano de obra indirecta ha aumentado del 9 % al 11 %, mientras que las disminuciones en luz, agua, gas y tributos lo han compensado.
— Los gastos financieros han aumentado considerablemente, al pasar del 4 al 6 %.

	19X1	19X2
Gastos variables		
Materiales consumidos	33	36
Mano de obra directa	21	21
Comisiones	10	10
Amortizaciones	4	3
Otros gastos directos	6	6
Gastos fijos		
Mano de obra indirecta	9	11
Alquileres	3	3
Luz, agua, gas	2,5	2
Tributos	2,5	1
Gastos financieros	4	6
Impuesto sociedades	1	0,2
Beneficio neto	4	0,8
	100	100

Figura 4.27. Destino de cada 100 unidades monetarias vendidas

4.2.5. ANÁLISIS DE LOS GASTOS

Para profundizar más, se puede proceder al análisis específico de los diversos gastos.

Para ello, se analizan, primero, los gastos en términos absolutos: es decir, en unidades monetarias, a fin de ver las variaciones. Esto debe hacerse gasto por gasto. Si se dispone de un presupuesto de gastos, este análisis permitirá ya ver las desviaciones entre lo presupuestado y la realidad.

En segundo lugar, se analizan los gastos en porcentajes respecto a las ventas. Por ejemplo:

$$\% \text{ gastos de publicidad} = \frac{\text{Gastos de publicidad}}{\text{Ventas}} \times 100$$

Si los gastos de publicidad han sido de 400 y las ventas de 2.700, el % que supone la publicidad sobre la cifra de ventas será:

$$\frac{400}{2.700} \times 100 = 14{,}8\,\%$$

$$\%\ \text{gastos de administración} = \frac{\text{Gastos de administración}}{\text{Ventas}} \times 100$$

Si los gastos de administración han sido de 540 y las ventas 2.700, estos gastos supondrán el siguiente % sobre las ventas:

$$\frac{540}{2.700} \times 100 = 20\,\%$$

$$\%\ \text{gastos financieros} = \frac{\text{Gastos financieros}}{\text{Ventas}} \times 100$$

Si los gastos financieros han sido de 54 y las ventas de 2.700, supondrán un % sobre las ventas de:

$$\frac{54}{2.700} \times 100 = 2\,\%$$

Así, se podría seguir con otros gastos, según el interés que tengan para la empresa.

Se pueden utilizar los que interese en cada caso concreto y se separan los de varios años si se puede ver la evolución de ese gasto en concreto, respecto al conjunto de las ventas.

Clasificación de los gastos para su análisis

Según el tipo de análisis que se quiera hacer, es interesante clasificar los distintos gastos. Evidentemente, el criterio de clasificación puede ser muy diverso. Los criterios más frecuentes de clasificación son los siguientes:

— Por productos:

$$\frac{\text{Gastos del producto x}}{\text{Ventas del producto x}}$$

Este ratio permite comprobar la relación entre los gastos e ingresos que genera cada producto.

— Por función:

$$\frac{\text{Gastos comerciales}}{\text{Ventas}}$$

$$\frac{\text{Gastos de producción}}{\text{Ventas}}$$

$$\frac{\text{Gastos de administración}}{\text{Ventas}}$$

Estos ratios analizan el peso de cada departamento de la empresa: departamento comercial, departamento de producción, departamento de administración, etc.

— Según proporcionalidad con las ventas:

$$\frac{\text{Gastos fijos}}{\text{Ventas}}$$

$$\frac{\text{Gastos variables}}{\text{Ventas}}$$

Con estos ratios se distinguen entre aquellos gastos que dependen del volumen de las ventas —gastos variables o coste de las ventas— y los gastos fijos o de estructura, que se producen independientemente del volumen de las ventas.

— Según su naturaleza:

$$\frac{\text{Gastos de personal}}{\text{Ventas}}$$

$$\frac{\text{Portes}}{\text{Ventas}}$$

$$\frac{\text{Tributos}}{\text{Ventas}}$$

$$\frac{\text{Gastos financieros}}{\text{Ventas}}$$

$$\frac{\text{Trabajos, suministros y servicios exteriores}}{\text{Ventas}}$$

$$\frac{\text{Gastos diversos}}{\text{Ventas}}$$

Con estos ratios, se puede ver el peso que tiene cada uno dentro de la cuenta de explotación.

Como norma general, al analizar cualquiera de los ratios anteriores, interesa comprobar que tienden a disminuir. En caso contrario, el beneficio de la empresa estará en peligro.

4.2.6. EL PUNTO DE EQUILIBRIO

Se entiende por punto de equilibrio, punto muerto o umbral de rentabilidad, aquella cifra de ventas en que la empresa ni pierde ni gana; es decir, cuando la empresa cubre únicamente todos sus gastos.

Evidentemente, es muy importante para la empresa saber dónde está su punto de equilibrio, pues si no vende por encima de él es seguro que tendrá pérdidas y, en la medida que venda por encima de él, tendrá beneficios.

El punto de equilibrio se puede expresar en unidades de producto, por ejemplo, venta de tantos televisores, o bien unidades monetarias, por ejemplo ventas por un importe de tanto.

Cuando la empresa tiene un solo producto y lo vende siempre al mismo precio, es indiferente expresar el punto de equilibrio en unidades de producto o en unidades monetarias. Pero, cuando no es éste el caso, será mejor expresarlo en unidades monetarias. Nosotros concretamente lo haremos así, pues es válido para cualquiera de los casos.

Elementos que intervienen en el cálculo del punto de equilibrio

Los conceptos que se manejan y, por tanto, se deben tener claros para calcular el punto de equilibrio de una empresa son:

- Cifras de ventas. Es decir, el importe de las ventas.
- Costes fijos. Son aquellos que tendrá la empresa independientemente de que venda o no venda y de la cantidad que venda. Por ejemplo, el alquiler que paga por el local que ocupa, tendrá que pagarlo y por igual cantidad venda o no venda, venda mucho o venda poco (véase apartado 3.3).
- Costes variables. Son aquellos que están en función de las ventas. Por ejemplo, las comisiones que paga la empresa a los

vendedores estarán en función de lo que vendan. La materia prima que se utiliza para elaborar el producto estará en función de los productos que fabrique, etc.

— Unidades vendidas. Es la cantidad que se vende. Si se expresa en unidades de productos, será la cantidad de productos vendidos. Si se expresa en unidades monetarias, coincidirá con el importe de las ventas.

Cálculo del punto de equilibrio

Existe una fórmula que nos permite calcular directamente la cifra que debe realizar la empresa para no perder ni ganar, es decir para calcular el punto de equilibrio. Dicha fórmula es la siguiente:

$$\text{Punto de equilibrio} = \frac{\text{Costes fijos}}{1 - \dfrac{\text{Costes variables}}{\text{Importe de las ventas}}}$$

Por ejemplo: Una empresa tiene unas ventas de 1.000, los costes fijos son de 300 y los variables de 500. Es decir, los costes fijos suponen el 30 % de las ventas y los variables del 50 %. El punto de equilibrio de esta empresa sería:

$$\text{Punto de equilibrio} = \frac{300}{1 - \dfrac{500}{1.000}} = \frac{300}{0,5} = 600$$

Por tanto, esta empresa tendrá que vender, al menos, por valor de 600 para no obtener ni beneficios ni pérdidas.

Esto se puede comprobar fácilmente mediante el siguiente razonamiento:

— Los gastos variables suponen el 50 % de las ventas. Por tanto, al vender por valor de 600, los gastos variables serán de 300.

— Los gastos fijos son de 300, que sumados a los 300 de gastos variables serán 600, que es lo que daba la fórmula como punto de equilibrio.

El punto de equilibrio se puede calcular también gráficamente, lo cual permitirá ver esto más claramente. Para ello, se procede de la siguiente manera:

— Se traza primero un eje de coordenadas. El eje vertical indica los costes y el importe de las ventas y el horizontal las unidades vendidas (véase figura 4.28). En el ejemplo que hemos puesto, al trabajar con unidades monetarias y no con unidades de producto, los valores de ambos ejes coinciden.

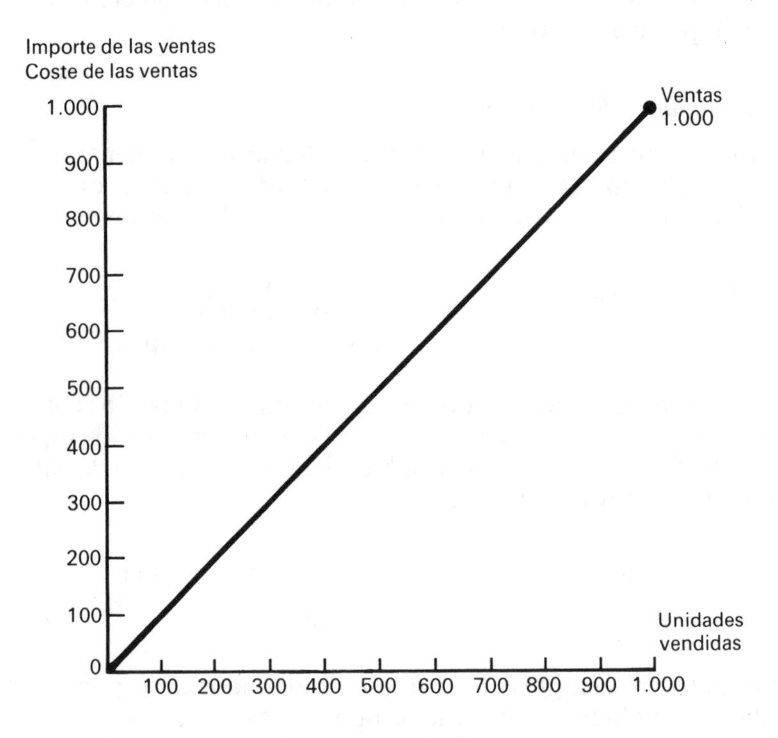

Figura 4.28. Representación gráfica de las ventas

— Después, se marca un punto donde se corta el importe de las ventas y la cantidad vendida. En el ejemplo será donde se corta el número 1.000. Se traza después una línea desde este punto al origen de los dos ejes, tal como se ha hecho en la misma figura 4.28. Esta línea nos irá indicando el importe de las ventas para cada unidad vendida.
— A continuación, se marca un punto sobre el eje vertical a la altura de los costes fijos y se traza una línea que parta de ese

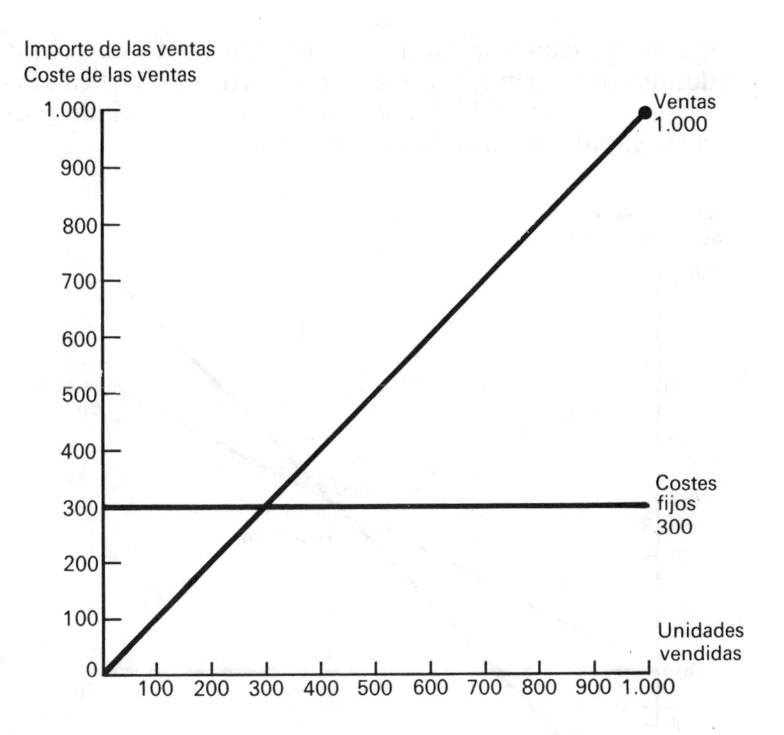

Figura 4.29. Representación gráfica de las ventas y los costes fijos

punto y vaya paralela al eje horizontal, tal como se muestra en la figura 4.29. Esta línea marca los costes fijos y va paralela a las unidades vendidas, porque es independiente de la cantidad que se venda. Es decir, los costes fijos serán siempre los mismos.

Después, procederemos a indicar los costes variables. Para ello, a los 300 que había de costes fijos se añaden, subiendo por el eje vertical, los 500 que corresponden a los costes variables. Así se sube por el eje vertical hasta el 800 (300 + 500) y se marca un punto allí donde se cruza con las unidades vendidas, a las cuales corresponden los 500 de coste variable, es decir, donde se cruza con el 1.000 del eje horizontal. Se traza a continuación una línea que una este punto con el punto donde comienzan los costes variables en el eje vertical. Puede verse en la figura 4.30. Esta línea es la que va indicando el coste variable para cada unidad vendida.

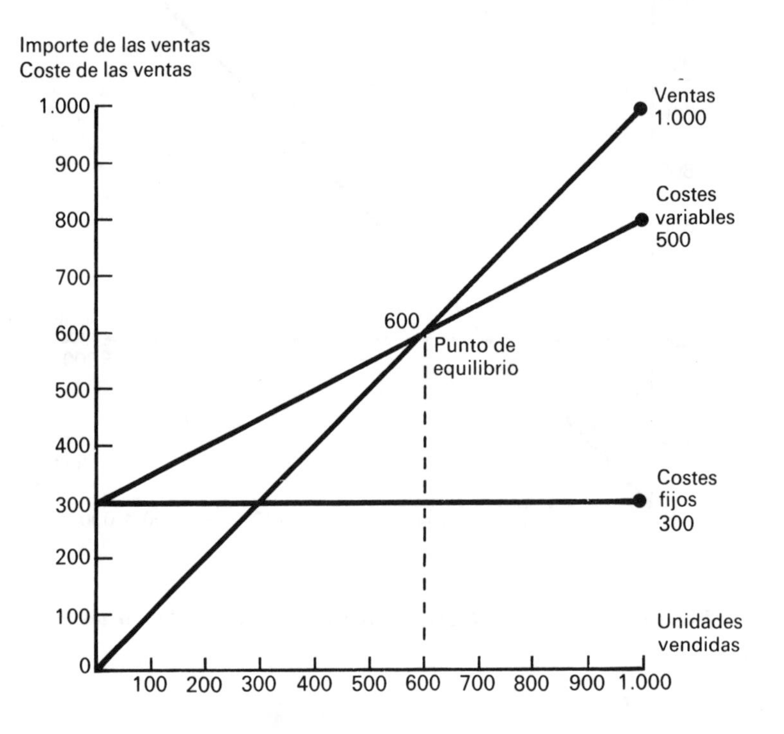

Figura 4.30. Representación gráfica de las ventas, los costes fijos y variables y el punto de equilibrio de la empresa

Obsérvese que la línea de los costes variables no parte del eje de las coordenadas, sino a la altura donde terminan los costes fijos. Esto es lógico, pues los costes variables se van añadiendo a los fijos, que se producirán se venda o no se venda.

Si observa ahora la figura, verá que la línea de los costes variables y la línea de las ventas se cruzan. Pues bien, el punto donde se cruzan ambas líneas será el punto de equilibrio. En el ejemplo sobre el que hemos construido el gráfico, trazando una línea vertical imaginaria hasta el eje horizontal (línea punteada) se obtiene la cifra de ventas correspondiente al punto de equilibrio: 600.

Este gráfico ofrece, además, información complementaria. Por ejemplo, si toma la altura que hay entre el punto de las ventas y el de los costes variables, tendrá el beneficio que ha obtenido, con las ventas realizadas. En el ejemplo, este beneficio es de 200.

Por el contrario, si las ventas hubieran sido sólo de 900, el beneficio hubiera sido sólo de 150. Compruébese viendo la altura que hay entre la línea de coste y la de ventas para 900 unidades vendidas.

Igualmente, prolongando las líneas que indican las ventas y los costes variables, se podría ver el beneficio obtenido si se hubiera vendido, por ejemplo, 1.100, etc.

4.3. **Análisis de la rentabilidad**

Con este análisis, se trata de diagnosticar la productividad del activo y la de los capitales propios.

4.3.1. RENDIMIENTO DEL ACTIVO

Al estudiar el rendimiento del activo se pretende analizar el beneficio obtenido en relación a la inversión realizada.

$$\text{Rendimiento} = \frac{\text{BAII (beneficio antes de intereses e impuestos)}}{\text{Total activo}}$$

Como beneficio, se toma el beneficio antes de intereses e impuestos para aislar el beneficio de la gestión financiera (gastos financieros) y de la política fiscal (impuestos).

Cuanto mayor sea este ratio indica que la empresa obtiene un mayor rendimiento con su activo.

4.3.2. RENTABILIDAD DEL CAPITAL

La rentabilidad del capital es la relación entre el beneficio neto total obtenido por la empresa y el capital de los propietarios.

$$\text{Rentabilidad del capital} = \frac{\text{Beneficio neto total}}{\text{Capital}}$$

Dado que normalmente uno de los principales objetivos de la empresa es la consecución del máximo beneficio, la rentabilidad del capital permite evaluar la gestión de la empresa, ya que compara el beneficio neto con las aportaciones de los propietarios de la misma.

Al igual que el ratio de rendimiento, el objetivo del ratio de rentabilidad es que sea lo mayor posible.

Ejemplo: calcular el rendimiento y la rentabilidad de una empresa que facilita los datos siguientes:

	Año 1	Año 2
BAII	500	600
Beneficio neto	140	80
Activo total	4.600	4.800
Capital	2.100	2.100

El valor de los ratios será:

	Año 1	Año 2
$\text{Rendimiento} = \frac{\text{BAII}}{\text{Activo}}$	0,10	0,12
$\text{Rentabilidad} = \frac{\text{B.º neto}}{\text{Capital}}$	0,06	0,03

Los ratios anteriores indican que el rendimiento de la empresa ha mejorado de un año a otro. Sin embargo, la rentabilidad ha bajado en el segundo año con respecto al primero, debido al aumento de los intereses y los impuestos.

4.4. **Ejercicios**

EJERCICIO 4.1. ALMACENES DARÍO

Almacenes Darío es una empresa dedicada a la comercialización de utillaje de jardinería. A partir de la información que se acompaña (figuras 4.31 y 4.32), se trata de hacer un análisis de balances.

	19X1	19X2	19X3	19X4
Activo				
Inmovilizado neto	7.402	6.996	7.024	7.594
Existencias	114.625	135.025	197.354	237.239
Clientes y efectos	122.380	205.595	320.603	496.510
Otro realizable	3.801	4.199	4.120	4.869
Disponible	11.717	8.148	3.859	1.449
Totales	259.925	359.963	532.960	747.661
Pasivo				
Capitales propios	101.625	109.204	116.139	122.820
Proveedores	51.944	81.979	163.998	291.981
Otras deudas a c.p.	816	2.380	3.123	3.860
Póliza crédito (c.p.)	105.900	166.400	249.700	329.000
Totales	259.925	359.963	532.960	747.661

Figura 4.31. Balances de Almacenes Darío (en miles de pesetas)

	19X1	19X2	19X3	19X4
Ventas	694.800	802.000	1.098.000	1.406.000
− Coste materiales	−508.200	−563.100	−789.900	−1.042.500
Margen bruto	186.600	238.900	308.100	363.500
− Gastos generales	−120.000	−146.800	−192.200	−243.200
— Amortizaciones	−1.100	−1.200	−1.300	−1.400
BAII	65.100	90.900	114.600	118.900
− Intereses	−20.800	−31.000	−53.200	−73.100
BAI	44.300	59.900	61.400	45.800
− Impuestos	−14.619	−19.767	−20.262	−15.114
Beneficio neto	29.681	40.133	41.138	30.686

Figura 4.32. Cuentas de pérdidas y ganancias de Almacenes Darío (en miles de pesetas)

Solución del caso Almacenes Darío

Dado que se facilitan datos de cuatro años, se va a hacer el análisis con los años primero y último (19X1 y 19X4). De esta forma, no sólo se analizará el último año, sino que también se estudiará la evolución que ha seguido la empresa en el cuatrienio.

El análisis se hará siguiendo la metodología propuesta en las páginas anteriores:

Etapas del análisis	Balances	—ordenación de los balances —cálculo de porcentajes —confección de gráficos —ratios de balance —origen y aplicación de fondos
	Cuentas de pérdidas y ganancias	—cálculo de porcentajes —tasa de expansión de la empresa —ratios económicos

Ordenación de los balances y cálculo de porcentajes

En el realizable se incluirán las cuentas de clientes, efectos y otro realizable; en las deudas a corto plazo se incluirán proveedores, otras deudas a corto plazo y la póliza de crédito a corto plazo (ver figura 4.33).

A partir de los datos de la figura 4.33, se puede comprobar que:

- el volumen del balance ha crecido considerablemente, ya que ha pasado de 259.925 a 747.661;
- en el activo ha aumentado el realizable en detrimento de los demás grupos, que se han reducido;
- en el pasivo se ha producido una importante descapitalización.

Gráficos de los balances

Los gráficos de la figura 4.34, aunque no aportan más información, permiten ver, de forma más clara, los aspectos comentados anteriormente.

	Año 19X1		Año 19X4	
	Miles de pesetas	%	Miles de pesetas	%
Activo				
Inmovilizado	7.402	3	7.594	1
Existencias	114.625	44	237.239	32
Realizable	126.181	49	501.379	67
Disponible	11.717	4	1.449	0
Totales	259.925	100	747.661	100
Pasivo				
Capitales propios	101.265	39	122.820	16
Deudas a corto plazo	158.660	61	624.841	84
Totales	259.925	100	747.661	100

Figura 4.33. Balances ordenados y en porcentajes redondeados

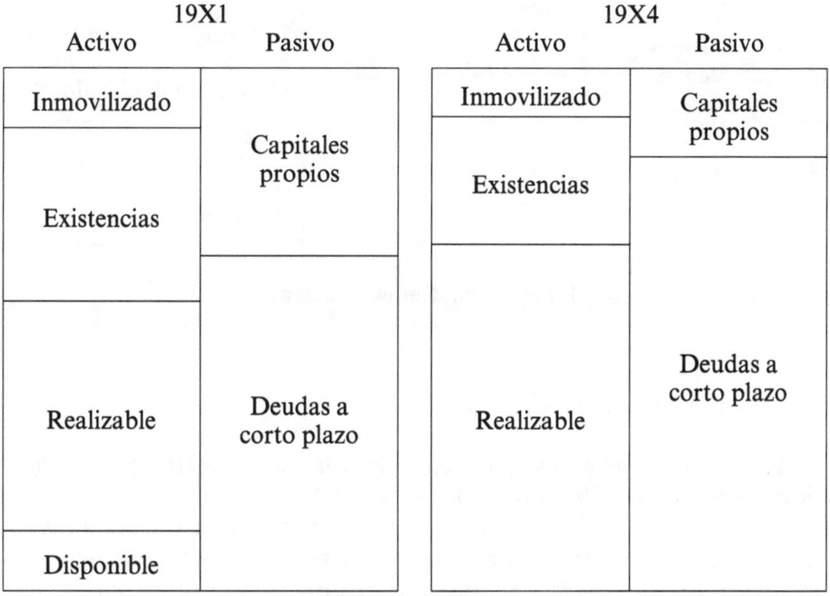

19X1
Activo Pasivo
Inmovilizado
Existencias
Realizable
Disponible
Capitales propios
Deudas a corto plazo

19X4
Activo Pasivo
Inmovilizado
Existencias
Realizable
Capitales propios
Deudas a corto plazo

Figura 4.34. Gráficos de los balances

Ratios de balance

Véase la figura 4.35.

Ratio	19X1	19X4	Comentario
Endeudamiento $= \frac{\text{Exigible}}{\text{Pasivo}}$	0,61	0,84	Ha crecido el endeudamiento, lo cual es peligroso por la descapitalización que trae.
Calidad de la deuda $= \frac{\text{Deudas a c.p.}}{\text{Deudas}}$	1	1	Toda la deuda es a corto plazo y, por tanto, de mala calidad.
Liquidez $= \frac{\text{Activo circulante}}{\text{Deudas a c.p.}}$	1,59	1,18	La liquidez se ha reducido más de lo aconsejable. Por tanto, existen problemas de suspensión de pagos.
Plazo cobro $= \frac{\text{Clientes}}{\text{Ventas}} \times 365$	64	128	Hay problemas de cobro con los clientes, ya que el plazo se ha duplicado.
Plazo pago $= \frac{\text{Proveedores}}{\text{Compras}} \times 365$	37	102	Se ha triplicado lo que provoca las quejas de los proveedores.

Figura 4.35. Ratios de balance

Origen y aplicación de fondos

El estado de origen y aplicación de fondos del período comprendido entre 19X1 y 19X3 es el de la figura 4.36.

Los datos de la figura 4.36 confirman que esta empresa ha invertido considerablemente en clientes y existencias. La financiación se ha hecho a través de las deudas a corto plazo, lo que provoca tensiones de liquidez.

Aplicación		*Origen*	
Inmovilizado	192	Disponible	10.268
Existencias	122.614	Capitales propios	21.255
Realizable	375.198	Deudas a corto	466.181
Total	498.004	Total	498.004

Figura 4.36. Estado de origen y aplicación de fondos, 19X1-19X4

Cuentas de pérdidas y ganancias: cálculo de porcentajes

	19X1	19X3
Ventas	100	100
— Coste de materiales	−73	−74
Margen bruto	27	26
— Gastos generales	−17	−17
— Amortizaciones	−0	−0
BAII	10	9
— Intereses	−3	−5
BAI	7	4
— Impuesto de sociedades	−2	−1
Beneficio neto	5	3

Figura 4.37. Cuentas de pérdidas y ganancias en porcentajes redondeados

En las cuentas de pérdidas y ganancias de la figura 4.37 se observa que:

— el coste de los materiales ha aumentado;
— como consecuencia de la descapitalización sufrida, se han disparado los intereses;
— se han reducido los márgenes y el beneficio neto;

— al disminuir los beneficios ha descendido el impuesto de sociedades.

Tasa de expansión de la empresa

Al dividir las ventas del último año por las del primero (1.406.000/694.800) se observa que éstas han crecido considerablemente (203 %). Por tanto, en los últimos cuatro años, las ventas se han duplicado, lo cual es positivo.

Ratios económicos

Véase la figura 4.38.

Ratios	19X1	19X3	Comentarios
Rendimiento del activo = BAII / Activo	0,25	0,16	El activo tiene un rendimiento menor.
Rentabilidad del capital = Bº neto / Capitales prop.	0,29	0,25	El beneficio neto se ha reducido en relación a los capitales propios. La empresa es menos rentable.

Figura 4.38. Ratios económicos

Conclusiones

Con base en los cálculos anteriores se puede establecer el siguiente diagnóstico global:

— El balance ha seguido una evolución peligrosa, ya que se ha descapitalizado al producirse un fuerte crecimiento de clientes y existencias financiado con deudas a corto plazo.
— La cuenta de pérdidas y ganancias ha evolucionado negativamente, ya que, a pesar de que las ventas han crecido, los gastos financieros y el coste de los materiales han reducido el beneficio neto.

Recomendaciones

A la vista del diagnóstico formulado, se podrán aconsejar las siguientes recomendaciones a Almacenes Darío:

— Para corregir la descapitalización y los problemas de liquidez, habrá que ampliar el capital y reducir el plazo de cobro de los clientes.
— Así podrá pagarse antes a los proveedores, con lo que podrán obtenerse descuentos por pronto pago.
— Al corregir la descapitalización, se reducirán las deudas y, por tanto, los gastos financieros, con lo que aumentará el beneficio neto.
— Al reducirse los saldos de clientes disminuirá el activo y, por tanto, aumentará el rendimiento del mismo.

En caso de que no se siguieran estas recomendaciones, la empresa, a pesar de no tener problemas de tipo comercial, podría registrar pérdidas y hacer suspensión de pagos.

EJERCICIO 4.2. EL CASO DE LA EMPRESA DESCONOCIDA

A continuación, se detallan algunos datos correspondientes a cuatro empresas de distintos sectores (grandes almacenes, producción de electricidad, supermercado, construcción).

El objeto del ejercicio es adivinar el sector al que pertenecen las empresas.

Por los datos de la figura 4.39, se puede adivinar que:

— A es la empresa constructora, por sus elevadas existencias (edificios en construcción), la baja rotación de éstas, su largo plazo de cobro y su reducido inmovilizado.
— B son los grandes almacenes, por lo elevado de su inmovilizado y de sus existencias.
— C es el supermercado, por el plazo de cobro nulo y su elevada rotación de existencias.
— D es la empresa productora de electricidad, por su gran inmovilizado y sus existencias nulas.

El hecho de que se pueda adivinar a qué sector pertenecen estas empresas indica que, al hacer un análisis de estados financieros se ha de tener en cuenta el sector en el que opera la empresa.

	A	B	C	D
Activo				
Inmovilizado	8	48	15	96
Existencias	69	34	63	—
Realizable	19	13	4	3,4
Disponible	4	5	18	0,6
	100	100	100	100
Pasivo				
No exigible	19	71	22	73
Exigible a largo plazo	34	8	—	23
Exigible a corto plazo	47	21	78	4
	100	100	100	100
Ratios				
Plazo de cobro (días):	82	23	0	30
Rotación de existencias: $\frac{\text{Ventas anuales}}{\text{Existencias}} =$	0,8	4	14	—

Figura 4.39. Balances en porcentajes y ratios

Capítulo 5

CONTROL PRESUPUESTARIO

5.1. Concepto y objetivos del control presupuestario

Así como la contabilidad general persigue, entre otros objetivos, la obtención del balance de situación y de la cuenta de resultados históricos, la confección de presupuestos se hace básicamente para obtener balances de situación y cuentas de resultados de ejercicios futuros.

Tipo de contabilidad	Objetivo
Contabilidad general	Estados financieros históricos
Contabilidad de costes	Precios de coste
Contabilidad presupuestaria	Estados financieros futuros

Dado que las estimaciones sobre el futuro suponen un elevado grado de incertidumbre, los presupuestos no se hacen para ver si se aciertan o no. En realidad, los presupuestos se confeccionan para cuantificar lo que se cree que va a suceder en el futuro. De esta forma, la empresa puede tomar decisiones a tiempo para intentar incidir sobre el futuro y hacerlo más favorable. Además, con los presupuestos se puede controlar la evolución de la empresa al comparar lo previsto con la realidad. Finalmente, los presupuestos permiten tomar medidas correctivas, a partir de las desviaciones detectadas antes de que sea demasiado tarde.

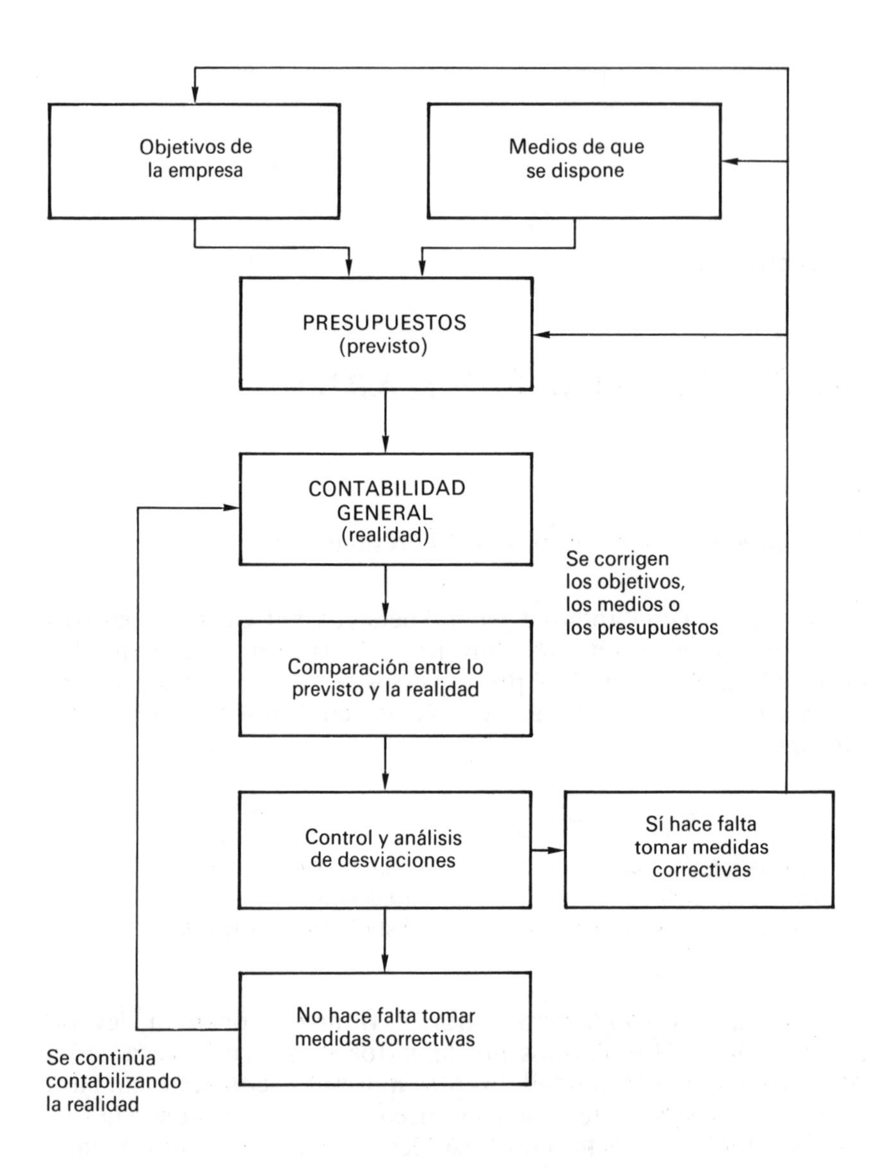

Figura 5.1. Esquema general del sistema presupuestario

En la figura 5.1 se acompaña el esquema general de funcionamiento de los presupuestos.

Para confeccionar los presupuestos se han de conocer previamente cuáles son los objetivos de la empresa y de qué medios (personal, maquinaria, etc.) se dispone para alcanzarlos. Una vez se han fijado los presupuestos, periódicamente, como mínimo una vez al mes, se han de comparar los resultados previstos con los reales. De estas comparaciones, surgen las desviaciones y, si son importantes, será preciso tomar las medidas correctivas pertinentes.

5.2. **Proceso de elaboración de los presupuestos a doce meses**

El proceso de elaboración de los presupuestos se inicia con el presupuesto de ventas. Para obtenerlo, se precisa conocer previamente los objetivos de la empresa y los medios de que se dispone. Con el presupuesto de ventas, ya se pueden establecer los presupuestos de gastos y obtener el resultado previsional. A continuación, se resumirá el proceso de elaboración de presupuestos a doce meses.

5.2.1. PRESUPUESTO DE VENTAS

Este presupuesto contiene las ventas anuales detalladas por meses y por productos en unidades físicas y en pesetas (véase figura 5.2).

Para la elaboración del presupuesto de ventas, se precisa determinar las unidades a vender de cada producto y el precio de venta. Para conocer estos dos datos, se han de estudiar las ventas de ejercicios anteriores. Asimismo, se han de realizar estudios de mercado para conocer más a la clientela y analizar la evolución que están siguiendo los competidores. Normalmente, este presupuesto es confeccionado por el departamento comercial de la empresa.

5.2.2. PRESUPUESTO DE PRODUCCIÓN Y EXISTENCIAS DE PRODUCTOS ACABADOS

El presupuesto de producción contiene el número de unidades que se van a producir en el período de un año. Para elaborarlo, se

	Mes 1	Mes 2	....	Mes 12	Año
Producto A					
Unidades					
Pesetas					
Producto B					
Unidades					
Pesetas					
Etc...					
Total ventas en pesetas					

Figura 5.2. Presupuesto de ventas

precisa conocer el número de unidades que se van a vender y el nivel inicial de existencias de productos acabados. Asimismo, se ha de fijar el nivel de existencias de productos acabados deseado para el final de cada mes (véanse figuras 5.3 y 5.4).

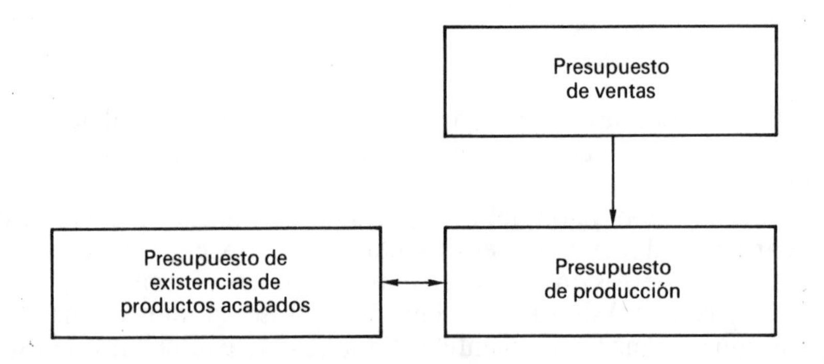

Figura 5.3. Confección del presupuesto de producción

5.2.3. PRESUPUESTOS DE CONSUMOS, COMPRAS Y EXISTENCIAS DE MATERIALES

Conociendo la producción prevista se puede determinar el consumo previsto de materiales. Para ello, se han de analizar datos de

	Mes 1	Mes 2	....	Mes 12
Existencias iniciales de productos acabados + Producción − Unidades vendidas				
Existencias finales de productos acabados				

Figura 5.4. Presupuesto de producción y existencias

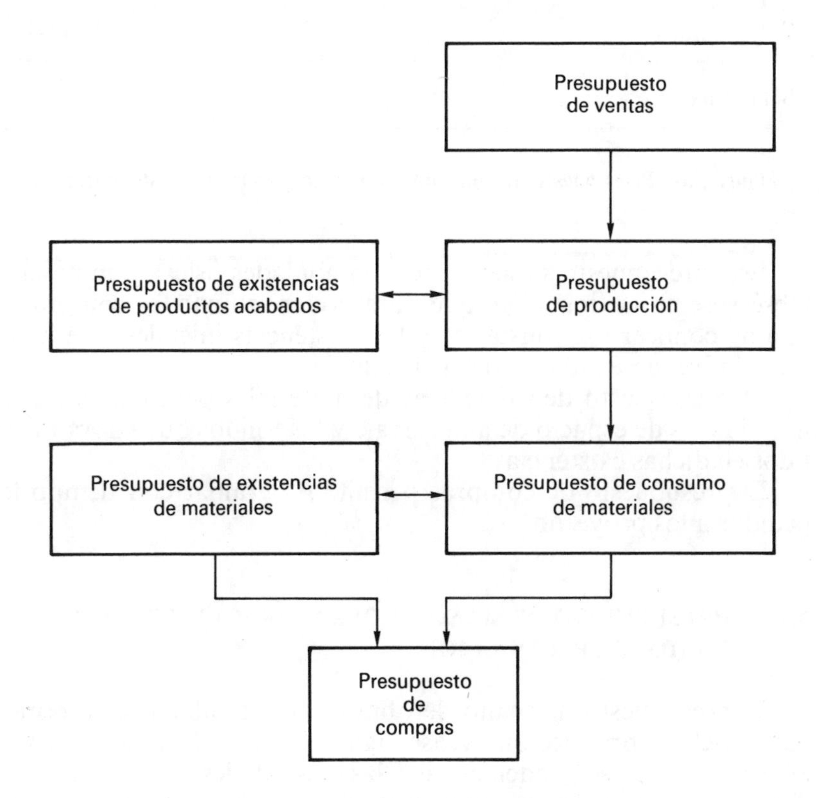

Figura 5.5. Confección del presupuesto de compras

ejercicios anteriores y conocer el coste de materiales por unidad de producto.

A partir de los consumos previstos de materiales, se puede estimar las compras si se fijan los niveles de existencias de materiales (véase figura 5.5).

El presupuesto de consumos, compras y existencias de materiales tiene el formato de la figura 5.6 y se ha de hacer por separado para cada tipo de material.

	Mes 1	Mes 2	....	Mes 12
Saldo inicial de materiales + Compras − Consumos				
Saldo final				

Figura 5.6. Presupuesto de consumos, compras y existencias de materiales

Este presupuesto se suele hacer en unidades físicas y en pesetas. Obsérvese en la figura 5.6 que para poder estimar las compras se han de conocer los consumos y las existencias iniciales y se ha de fijar el nivel deseado de existencias finales.

El presupuesto de existencias de materiales permite prever las necesidades de espacio de almacenaje y los fondos que habrá invertidos en dichas existencias.

El presupuesto de compras permite programar con tiempo los pedidos a los proveedores.

5.2.4. PRESUPUESTO DE MANO DE OBRA DIRECTA Y DE OTROS GASTOS DE PRODUCCIÓN

El presupuesto de mano de obra directa también se elabora a partir del de producción (véase figura 5.7). Utilizando datos de años anteriores, se pueden estimar las necesidades de mano de obra directa en tiempo. Para conocer el coste de mano de obra directa

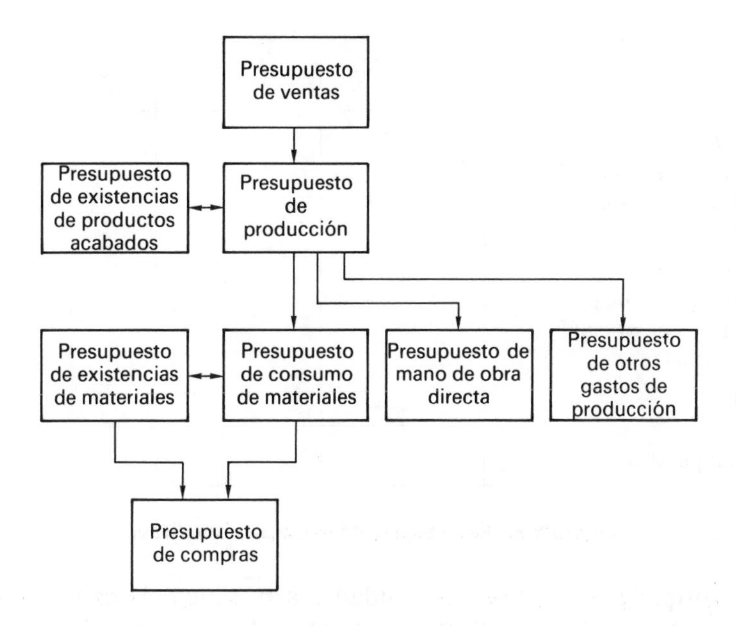

Figura 5.7. Confección de los presupuestos de m.o.d. y otros gastos de producción

por unidad producida, hay que multiplicar el tiempo (en horas necesarias para producirla) por la tarifa horaria:

$$\text{Coste de mano de obra directa por unidad producida} = \text{Tiempo de mano de obra directa por unidad} \times \text{Tarifa horaria de mano de obra directa}$$

En caso de que para elaborar el producto intervengan diferentes tipos de mano de obra directa se hará el cálculo para cada uno de ellos. En la figura 5.8 se acompaña un ejemplo de presupuesto de mano de obra directa.

El presupuesto de mano de obra directa permite prever con tiempo las necesidades de este tipo de personal para detectar sobrantes o faltantes. Asimismo, este presupuesto facilita una previsión de la nómina correspondiente a la mano de obra directa.

A partir del presupuesto de producción, se puede elaborar también el presupuesto de otros gastos de producción. Para ello, se ha

	Mes 1	Mes 2	....	Mes 12	Año
Producto A					
Horas de oficial 1.ª					
Horas de oficial 2.ª					
Pesetas					
Producto B					
Horas de oficial 1.ª					
Horas de oficial 2.ª					
Pesetas					
Etc.					
Total pesetas					

Figura 5.8. Presupuesto de mano de obra directa

de multiplicar el número de unidades a producir de cada artículo por el coste previsto unitario de los restantes gastos de fabricación (energía, materiales auxiliares, etc.)

5.2.5. PRESUPUESTO DE GASTOS DE ESTRUCTURA

En principio, este presupuesto se confecciona independientemente del de ventas. Sin embargo, hay que tener presente que los gastos de estructura son fijos para un cierto intervalo de cifra de ventas. Pero si las ventas sobrepasan dicho intervalo, los gastos de estructura deberían crecer. Por ejemplo, si una empresa dobla sus ventas, posiblemente necesitará más personal en el departamento de contabilidad o un ordenador con más capacidad. Por ello, los gastos de estructura crecen en escalera (véase figura 5.9).

El presupuesto de gastos de estructura se confecciona en pesetas. En la figura 5.10, se acompaña un modelo de dicho presupuesto.

5.2.6. PRESUPUESTO DE GASTOS DE COMERCIALIZACIÓN

Es un presupuesto que se puede hacer directamente a partir del de ventas (véase figura 5.11). En él se incluyen todos los gastos pro-

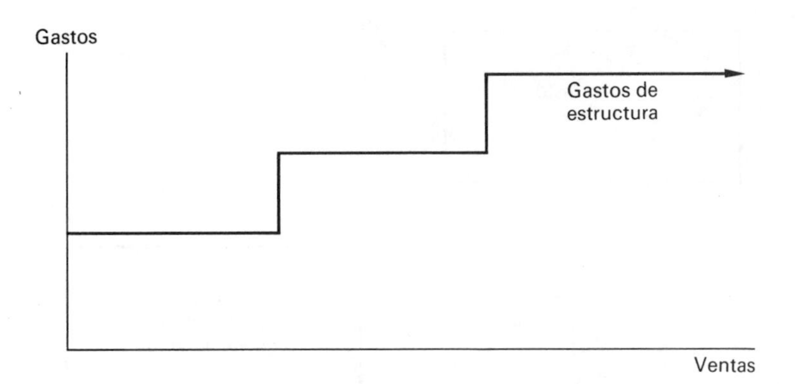

Figura 5.9. Evolución de los gastos de estructura

	Mes 1	Mes 2	....	Mes 12	Año
Gastos de personal Alquileres Amortizaciones Gastos financieros Etc.					
Total pesetas					

Figura 5.10. Presupuesto de gastos de estructura

porcionales de comercialización (comisiones, portes, etc.).

Para su elaboración, se ha de multiplicar las unidades a vender por el coste unitario de cada concepto de comercialización (véase figura 5.12).

5.3. **Cuenta de pérdidas y ganancias previsional**

La cuenta de pérdidas y ganancias o de resultados previsional, al igual que el presupuesto de caja y el balance de situación previsio-

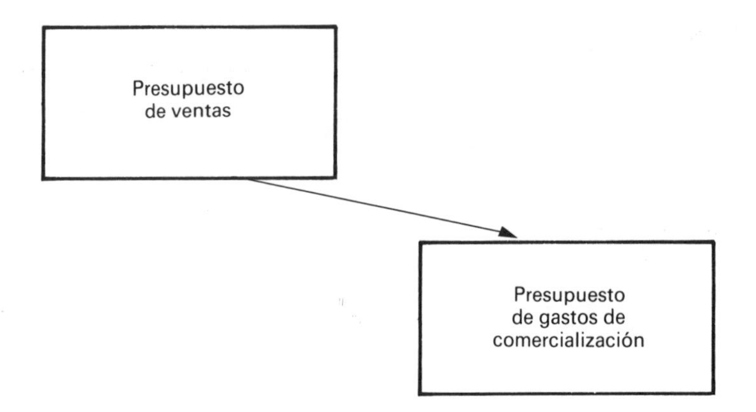

Figura 5.11. Confección del presupuesto de gastos de comercialización

	Mes 1	Mes 2	....	Mes 12	Año
Comisiones Portes Etc.					
Total pesetas					

Figura 5.12. Presupuesto de gastos de comercialización

nal, es un presupuesto que integra todos los que se han desarrollado en el apartado anterior (véase figura 5.13).

Con la cuenta de resultados previsional se obtiene el beneficio antes de impuestos por la diferencia entre el presupuesto de ventas y los presupuestos de gastos. Para obtener el beneficio neto previsional, se habrá de deducir el impuesto de sociedades previsto (véase figura 5.14).

Con la cuenta de resultados previsional ya se dispone de una estimación del resultado que se obtendrá en el próximo ejercicio. Asimismo, se puede conocer el cash flow previsional (o flujo de caja previsional) si se añaden las amortizaciones al beneficio neto previsto). Las amortizaciones se suman al beneficio neto, ya que son un gasto que no se paga.

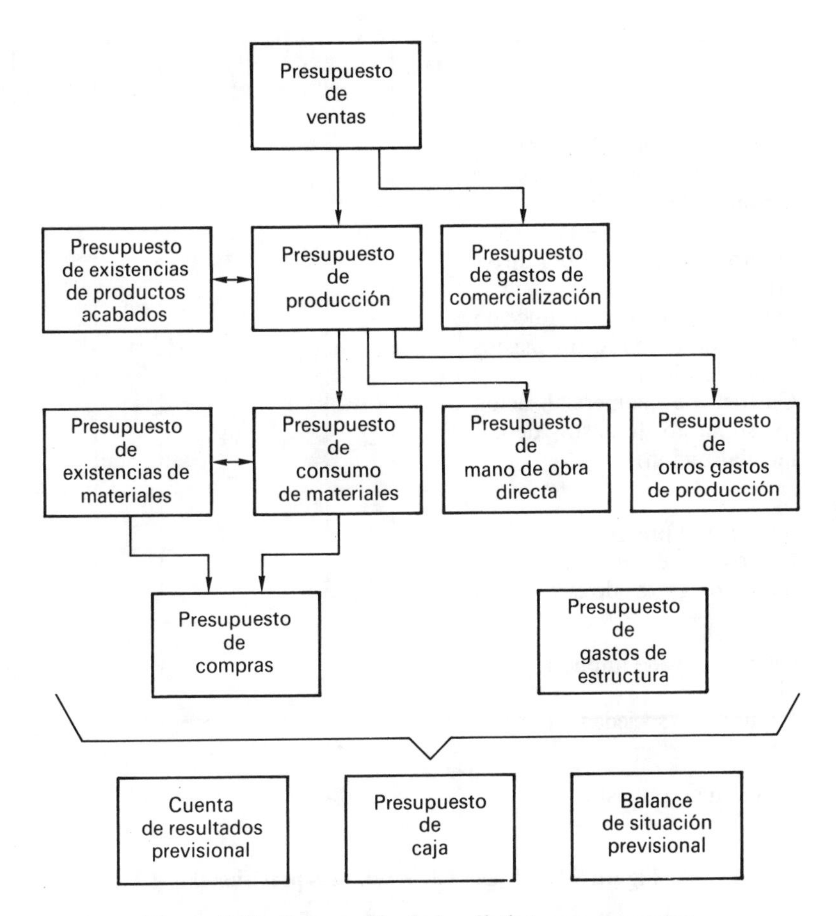

Figura 5.13. Integración de los distintos presupuestos

$$\begin{array}{l} \text{Beneficio neto previsto} \\ + \text{ Amortizaciones previstas} \\ \hline = \text{ Cash flow previsional} \end{array}$$

A este cash flow se le denomina «cash flow económico» por calcularse a partir de datos de la cuenta de resultados y da una idea aproximada de la liquidez que se generará en el próximo ejercicio. No obstante, el presupuesto de caja obtiene con más exactitud la liquidez que se generará.

	Mes 1	Mes 2	....	Mes 12	Año
Ventas (presupuesto de ventas) — Materiales (presupuesto de consumo de materiales) — Mano de obra directa (presupuesto de mano de obra directa) — Otros gastos de producción (presupuesto de otros gastos de producción) — Gastos de comercialización (presupuesto de gastos de comercialización)					
Margen bruto previsto — Gastos de estructura (presupuesto de gastos de estructura)					
Beneficio antes de impuestos previsto — Impuesto de sociedades previsto					
Beneficio neto previsto					

Figura 5.14. Cuenta de resultados previsional

5.4. Presupuesto de caja

El presupuesto de caja se confecciona a partir de todos los presupuestos relacionados en el apartado 5.2. Para ello, se han de tomar todos los ingresos y gastos y estudiar en qué mes del año se van a cobrar y pagar, respectivamente. Así, se deberán conocer las condiciones de pago de los clientes y las de pago a los proveedores y otros gastos.

Además, en el presupuesto de caja se han de incluir otros cobros y pagos que no intervienen en la cuenta de resultados (ampliaciones de capital, obtención de deudas, pago de dividendos, devolución de deudas, pago por inversiones, etc.)

Este presupuesto puede tener varios formatos. Un formato muy simple (véase figura 5.15) es el que integra todos los cobros y pagos sin distinciones.

	Mes 1	Mes 2	....	Mes 12
Saldo inicial + Cobros previstos − Pagos previstos				
Saldo final de tesorería				

Figura 5.15. Presupuesto de caja

En la figura 5.16 se acompaña otro formato en el que se distinguen los cobros y pagos relacionados con la cuenta de explotación de los que son ajenos a la cuenta de explotación. Este formato permite obtener por separado el cash flow y la liquidez total generada. A este otro cash flow, calculado a partir de la diferencia entre los cobros y los pagos de explotación, recibe la denominación de «cash flow financiero»:

Cobros de explotación
− Pagos de explotación

= Cash flow financiero

Nótese que, en la mayoría de los casos, ambos cash flows no coinciden, ya que, mientras el cash flow financiero se basa en cobros y pagos, el económico se calcula a partir del beneficio (ingresos menos gastos) más las amortizaciones.

La importancia del análisis del cash flow radica en que éste mide la capacidad de generación de fondos que tiene la empresa a través de su actividad ordinaria. Por tanto, es un indicador de la capacidad de autofinanciación.

	Mes 1	Mes 2	....	Mes 12	Año
1. *Cobros de explotación* Cobros de ventas 2. *Pagos de explotación* Compras Personal Tributos Otros					
3. Cash flow (1 − 2)					
4. *Otros cobros* Ampliación de capital Aumento préstamos Cobros extraordinarios 5. *Otros pagos* Dividendos Inversiones Devolución préstamos Pagos extraordinarios					
6. Liquidez generada fuera de la explotación (4 − 5)					
7. Saldo inicial de tesorería					
8. Saldo final de tesorería (7 + 3 + 6)					

Figura 5.16. Presupuesto de caja

5.5. **Balance de situación previsional**

El balance de situación previsional puede confeccionarse a partir de los datos de la cuenta de resultados previsional y del presupuesto de caja (véase figura 5.17).

Saldo inicial (balance inicial)	Aumentos	Reducciones	Saldo final (balance previsional)
Activo			
Inmovilizado	+ Inversiones en inmovilizado	– Bajas de inmovilizado	Inmovilizado
– Amortización acumulada	+ Amortización del período	– Amortización acumulada, incluida en los inmovilizados dados de baja	– Amortización acumulada
Existencias	+ Compras	– Consumos	Existencias
Clientes	+ Ventas	– Cobros de ventas	Clientes
Tesorería			Saldo final del presupuesto de caja
Total activo			
Pasivo			
Capital	+ Ampliaciones de capital	– Reducciones de capital	Capital
Reservas	+ Beneficios no distribuidos	– Reducción de reservas	Reservas
Préstamos	+ Aumento de préstamos	– Devolución de préstamos	Préstamos
Proveedores	+ Compras	– Pagos a proveedores	Proveedores
Resultado (beneficio o pérdida)			Saldo final de la cuenta de resultados previsional
Total pasivo			

Figura 5.17. Balance de situación previsional

Obsérvese que el saldo de tesorería del balance de situación previsional ha de coincidir con el saldo final del presupuesto de caja. Asimismo, el resultado final del balance de situación previsional ha de coincidir con el que se obtenga en la cuenta de resultados previsional.

Una vez se han obtenido todos estos presupuestos, es conveniente analizarlos utilizando las técnicas de análisis de balances (véase capítulo 4) para opinar sobre la conveniencia de aprobarlos o no. En caso de que los presupuestos sean desfavorables, se han de rehacer y tomar las medidas oportunas para que sean más positivos.

5.6. **Control de los presupuestos**

La confección de los presupuestos suele iniciarse varios meses antes de que comience el ejercicio económico. Su elaboración suele prolongarse dos o tres meses hasta que son definitivamente aprobados por la dirección de la empresa. Normalmente, un mes antes del inicio del ejercicio económico ya están aprobados. De esta forma, pocos días después de finalizar el primer mes del ejercicio, ya se pueden comparar los datos previstos con los reales.

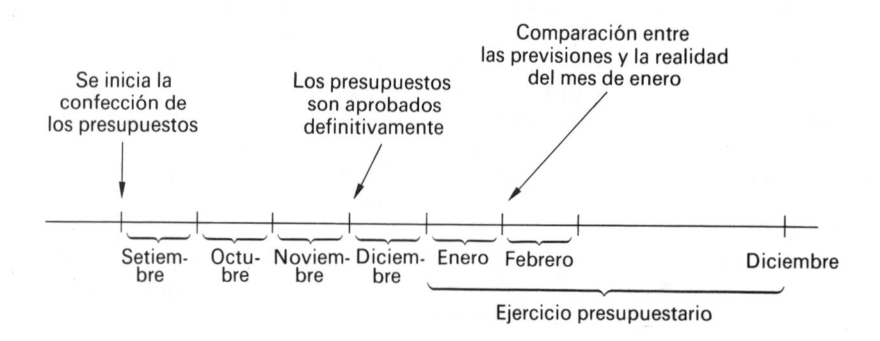

Figura 5.18. Proceso presupuestario

5.6.1. OBTENCIÓN Y ANÁLISIS DE LAS DESVIACIONES

A medida que, a través de la contabilidad general, se van obteniendo los datos reales se han de comparar éstos con los datos previ-

	Previsto	Realidad	Desviación		Observaciones
			Pts.	%	
Cuenta de resultados Ventas — Materiales — Mano de obra directa — Otros gastos de producción — Gastos de comercialización — Gastos de estructura — Etc.					
Beneficio neto					

Presupuesto de caja Saldo inicial + Cobros − Pagos					
Saldo final					

Balance de situación Activo Inmovilizado Amortiz. acum. Existencias Clientes Tesorería Etc.					
Total activo					

Figura 5.19. Ejemplo de impreso para controlar desviaciones

	Previsto	Realidad	Desviación		Observaciones
			Pts.	%	
Pasivo Capital Reservas Préstamos Proveedores Resultados Etc.					
Total pasivo					

Figura 5.19 *(continuación)*

sionales. Por la diferencia entre datos previstos y datos reales, se calculan las desviaciones en pesetas y en porcentajes (véase figura 5.19).

La desviación en importe se obtiene restando los datos reales de los previstos:

$$\text{Desviación en importe} = \text{Cantidad prevista} - \text{Cantidad real}$$

El porcentaje de desviación se obtiene dividiendo la desviación por la cantidad prevista:

$$\text{\% de desviación} = \frac{\text{Desviación en importe}}{\text{Cantidad prevista}}$$

Dado que es usual que se produzcan desviaciones en todas las partidas presupuestadas, sólo se han de analizar las desviaciones importantes.

Es conveniente establecer previamente el importe y el % mínimo a partir del cual se considerará importante una desviación. Por ejemplo, una empresa podría definir como importante a toda desviación superior a 200.000 pesetas o a un 5 %.

Para un control más acertado de las desviaciones es conveniente confeccionar ciertos presupuestos (los de gastos, por ejemplo) de forma flexible. Así, en los presupuestos de gastos, que son proporcionales a las ventas, en lugar de hacer la previsión en importe se hace en porcentaje. Así, lo que se trata de controlar es la desviación producida en el porcentaje sobre las ventas en lugar de la desviación en pesetas.

Ejemplo: supóngase una empresa que prevé vender 50.000.000 de pesetas y espera tener unos consumos de materiales del 50 % sobre las ventas. Si los datos reales fuesen 60.000.000 de ventas y 28.000.000 de consumo de materiales, se podría hacer el análisis de la figura 5.20.

	Presupuesto	Realidad	Desviación		Observaciones
			Pesetas	%	
Ventas	50.000.000	60.000.000	+ 10.000.000	+ 20 %	Desviación positiva
Consumos	25.000.000	28.000.000	+ 3.000.000	+ 12 %	Desviación negativa por haber gastado más de lo previsto

Figura 5.20

Si el presupuesto se estableciese de forma flexible, se haría el análisis que se recoge en la figura 5.21.

	Presupuesto	Realidad	Desviación		Observaciones
			Pesetas	%	
Ventas	50.000.000	60.000.000	+ 10.000.000	+ 20	Positiva por haber vendido más
Consumos	(50 % de las ventas reales) 30.000.000	28.000.000	− 2.000.000	− 6	Positiva por haber gastado menos

Figura 5.21

5.6.2. MEDIDAS CORRECTIVAS Y SU CONTROL

Para que el control presupuestario tenga sentido, no sólo se han de analizar las desviaciones. También se han de tomar rápidas medidas correctivas y controlar con posterioridad la eficacia de estas medidas.

La mecánica que se suele seguir una vez se han identificado las desviaciones importantes es:

— Reunión de los directivos implicados para decidir las medidas correctivas que se han de tomar.
— En la reunión mencionada, se fija la fecha en la que se controlará la eficacia de las medidas correctivas.
— En la fecha fijada, se controla la eficacia de las medidas tomadas. Si los resultados no son positivos se han de tomar otras medidas.

Concepto	Previsto	Realidad	Desviación		Responsable	Medidas tomadas	Control
			Ptas.	%			

Figura 5.22. Impreso de control de desviaciones importantes

5.7. **Ejercicios**

EJERCICIO 5.1. CONFECCIÓN DE UN PRESUPUESTO DE TESORERÍA

Una empresa facilita la información siguiente:

— Balance a 1 de enero (cifras en millones de pesetas):

Activo		Pasivo	
Maquinaria	2.000	Capital	1.500
Existencias	1.000	Préstamo	1.500
Clientes	500	Proveedores	800
Caja	800	Hacienda pública	500
Total	4.300	Total	4.300

— Las ventas, que se cobran a los 30 días, serán de 600 millones de pesetas mensuales de enero a julio, y de 700 millones de pesetas de agosto a diciembre.
— En enero se han de cobrar las ventas de diciembre del año anterior, 500 millones de pesetas, incluidas en el balance inicial.
— Las compras a proveedores, que se pagan a los 60 días, serán de 450 millones de pesetas todos los meses.
— En enero y febrero, se han de pagar 300 millones de pesetas y 500 millones de pesetas, respectivamente, correspondientes a compras del año anterior.
— Mensualmente, se pagarán al contado 150 millones de pesetas de gastos generales.
— En abril, se habrá de pagar la deuda existente con Hacienda, de 500 millones de pesetas.
— En junio, se habrá de devolver al banco el préstamo de 1.500 millones de pesetas, incluido en el balance inicial.

Solución

El presupuesto de tesorería, elaborado a partir de los datos anteriores, se detalla en la figura 5.23.

	Enero	Febrero	Marzo	Abril	Mayo	Junio
Saldo inicial	+800	+850	+800	+800	+300	+300
Cobros						
Clientes	+500	+600	+600	+600	+600	+600
Pagos						
Proveedores	−300	−500	−450	−450	−450	−450
Gastos	−150	−150	−150	−150	−150	−150
Hacienda pública				−500		
Préstamos						−1.500
Saldo final	+850	+800	+800	+300	+300	−1.200

	Julio	Agosto	Setiembre	Octubre	Noviembre	Diciembre
Saldo inicial	−1.200	−1.200	−1.200	−1.100	−1.000	−900
Cobros						
Clientes	+600	+600	+700	+700	+700	+700
Pagos						
Proveedores	−450	−450	−450	−450	−450	−450
Gastos	−150	−150	−150	−150	−150	−150
Hacienda pública						
Préstamos						
Saldo final	−1.200	−1.200	−1.100	−1.000	−900	−800

Figura 5.23. Presupuesto de tesorería

A través del presupuesto de tesorería de la figura 5.23, se puede estimar que esta empresa tendrá un importante déficit de liquidez a partir de junio del próximo año. Por tanto, con la suficiente antelación, esta empresa deberá renegociar el préstamo bancario, adelantar los cobros o retrasar los pagos.

EJERCICIO 5.2. CONFECCIÓN DE ESTADOS FINANCIEROS PREVISIONALES

Una empresa proporciona la siguiente información:

— Balance inicial a 1 de enero (cifras en millones de pesetas):

Activo		Pasivo	
Maquinaria	3.000	Capital	2.000
− Amortización acumulada	−600	Reservas	2.000
Existencias	2.000	Préstamos	1.100
Clientes	2.200	Proveedores	2.000
Caja	500		
Total	7.100	Total	7.100

— Para el mes de enero se prevén los siguientes ingresos y gastos:

- ventas: 3.000 millones de pesetas, que se cobrarán en febrero;
- compras: 1.000 millones de pesetas, que se pagarán en marzo;
- gastos de personal: 200 millones de pesetas que se pagarán en enero;
- gastos financieros: 2 % del préstamo incluido en el balance inicial, y que se pagarán en enero;
- amortizaciones: 1 % de la maquinaria incluida en el balance inicial;
- otros gastos: 300 millones de pesetas, a pagar en enero.

— También se producirán en enero los siguientes cobros y pagos:

- 800 millones de pesetas de clientes,
- 300 millones de pesetas de proveedores,
- 100 millones de pesetas de préstamos.

— El valor de las existencias, a finales de enero, se estima en 1.000 millones de pesetas.

Solución

Los estados financieros del mes de enero se prevén como se detalla en las figuras 5.24, 5.25 y 5.26.

Ventas		3.000
— Coste de materiales:		− 2.000
Compras	− 1.000	
Existencias iniciales	− 2.000	
Existencias finales	+ 1.000	
Margen bruto		+ 1.000
— Gastos de personal		− 200
— Gastos financieros		− 22
— Amortizaciones		− 30
— Otros gastos		− 300
Beneficio		+ 448

Figura 5.24. Cuenta de pérdidas y ganancias previsional del mes de enero (en millones de pesetas)

Saldo inicial	+ 500
+ Cobros:	
Clientes	+ 800
— Pagos:	
Gastos de personal	− 200
Gastos financieros	− 22
Otros gastos	− 300
Proveedores	− 300
Préstamos	− 100
Saldo final	+ 378

Figura 5.25. Presupuesto de caja para el mes de enero (en millones de pesetas)

	Saldo inicial	Movimientos	Saldo final
Activo			
Maquinaria	3.000		3.000
Amortización acumulada	−600	−30 (amortización mensual)	−630
Existencias	2.000	−1.000 (reducción existencias)	1.000
Clientes	2.200	+3.000 (ventas) − 800 (cobros)	4.400
Caja	500	(según presupuesto tesorería)	378
Total	7.100		8.148
Pasivo			
Capital	2.000		2.000
Reservas	2.000		2.000
Préstamos	1.100	−100 (devolución préstamo)	1.000
Proveedores	2.000	+1.000 (compras) − 300 (pagos)	2.700
Beneficios	—	(según cuenta de explot. previsional)	448
Total	7.100		8.148

Figura 5.26. Balance previsional a finales de enero (en millones de pesetas)

Capítulo 6

PLANIFICACIÓN FINANCIERA

6.1. **Concepto y objetivos de la planificación financiera**

La planificación financiera consiste en la elaboración de previsiones a medio y largo plazo. El horizonte de la planificación financiera ha de ser como mínimo de tres o cinco años.

Con la planificación financiera se pretende analizar de antemano el futuro de la empresa para poder prepararse mejor y sacar el máximo partido del mismo. Al igual que las previsiones a un año vista, con la planificación financiera se ha de poder dirigir más óptimamente la empresa y ejercer un control al comparar las previsiones con la realidad.

El principal inconveniente que tiene la planificación financiera es que trata del futuro y a un horizonte a medio o largo plazo. Por tanto, estas previsiones van acompañadas de un elevado grado de incertidumbre, que cuestiona su fiabilidad.

6.2. **Proceso de elaboración del plan financiero**

Para elaborar el plan financiero se han de confeccionar previamente las cuentas previsionales de resultados.

6.2.1. CUENTAS PREVISIONALES DE RESULTADOS

Las cuentas previsionales de resultados permiten conocer el importe de los resultados previstos a medio o largo plazo.

La elaboración de las cuentas previsionales de resultados se hace siguiendo el mismo método del apartado 5.3:

— previsión de ventas e ingresos;
— a partir de la previsión de ventas se confeccionan los presupuestos de producción, existencias, consumos, mano de obra directa y otros gastos directos;
— previsión de gastos de estructura;
— previsión de gastos financieros;
— previsión de amortizaciones;
— previsión del impuesto de sociedades de cada año.

Los presupuestos anteriores se integran en las cuentas previsionales de resultados (véase figura 6.1).

	Año 1	Año 2	....	Año n
Ventas + Otros ingresos − Consumos − Mano de obra directa − Otros gastos directos − Gastos de estructura − Gastos financieros − Amortizaciones				
Beneficio antes de impuestos − Impuesto de sociedades				
Beneficio neto previsto				

Figura 6.1. Cuentas previsionales de resultados

La mayor dificultad que presenta la confección de las cuentas previsionales de resultados consiste en la previsión de las ventas. Para la obtención de esa previsión, se han de hacer estudios de mercado y utilizar sofisticados métodos de previsión. Normalmente, las principales desviaciones entre las cuentas previsionales de resultados y las cuentas reales de resultados las ocasionan las ventas.

6.2.2. Plan financiero

Así como con las cuentas previsionales de resultados se intenta prever el resultado futuro, con el plan financiero se trata de estimar la liquidez futura.

El plan financiero se suele confeccionar de alguna de las tres formas siguientes:

a) *Plan financiero con el formato de presupuesto de caja*

Consiste en elaborar un presupuesto de caja a medio o largo plazo. Para ello, se han de estimar los cobros y pagos que habrá cada año (véase figura 6.2).

	Año 1	Año 2	....	Año n
Saldo inicial de tesorería + Cobros − Pagos				
Saldo final				

Figura 6.2. Plan financiero (tipo presupuesto de caja)

Al igual que en el presupuesto de caja, el saldo final de cada período será el saldo inicial del siguiente período.

b) *Plan financiero con el formato de estado de origen y aplicación de fondos*

En este tipo de plan financiero, al saldo inicial de tesorería se le añaden los aumentos de pasivo y las reducciones de activo que se prevé que habrá cada año. Asimismo, se le deducen los aumentos de activo y las reducciones de pasivo estimado para cada año.

Esta modalidad de plan financiero presenta la dificultad de que se ha de prever para cada año los aumentos y reducciones que habrá en el activo y en el pasivo del balance de la empresa.

	Año 1	Año 2	....	Año n
Saldo inicial de tesorería + Aumentos de pasivo (capital, reservas, deudas) + Reducciones de activo[1] (ventas de activo fijo, reducciones de otros activos) − Reducciones de pasivo (pérdidas, devoluciones de deudas) − Aumentos de activo[2] (inversiones en activo fijo o en circulante)				
Saldo final de tesorería				

Figura 6.3. Plan financiero (tipo estado de origen y aplicación de fondos)

c) *Plan financiero elaborado a partir de las cuentas previsionales de resultados*

En este caso, el plan financiero (véase figura 6.4) se elabora a partir del saldo inicial de tesorería y del beneficio neto anual obtenido. A lo anterior, se le suman o restan todos aquellos cobros o pagos que no se han tenido en cuenta en las cuentas previsionales de resultados.

Por ejemplo, hay que añadir los cobros por ampliación de capital o por obtención de préstamos. Asimismo, hay que sumar la amortización anual, ya que se ha restado en las cuentas previsionales de resultados y es un gasto que no se paga.

Simultáneamente, hay que deducir los dividendos repartidos y los pagos por inversiones o por devoluciones de préstamos.

Cuando el plan financiero está confeccionado ya se puede conocer la situación de liquidez prevista para cada uno de los próximos

[1] En estas reducciones no se incluyen las de disponible.
[2] En estos aumentos no se incluyen los de disponible.

	Año 1	Año 2	....	Año n
Saldo inicial de tesorería + Beneficio neto + Ampliación de capital + Préstamos obtenidos + Amortizaciones − Dividendos − Inversiones − Devolución de préstamos				
Saldo final de tesorería				

Figura 6.4. Plan financiero (a partir del resultado previsional)

años. En caso de que la liquidez o los resultados previstos sean insuficientes se han de efectuar los retoques precisos en las cuentas previsionales de resultados y/o en el plan financiero hasta que den resultados positivos.

6.3. Confección de estudios de viabilidad

El objetivo de un estudio de viabilidad es analizar con detalle los resultados previstos de un proyecto para determinar la conveniencia o no de llevarlo a cabo. Para ello, se han de prever los ingresos y gastos del proyecto, así como sus cobros y pagos. En principio, un proyecto será viable si va a generar beneficios y liquidez suficientes.

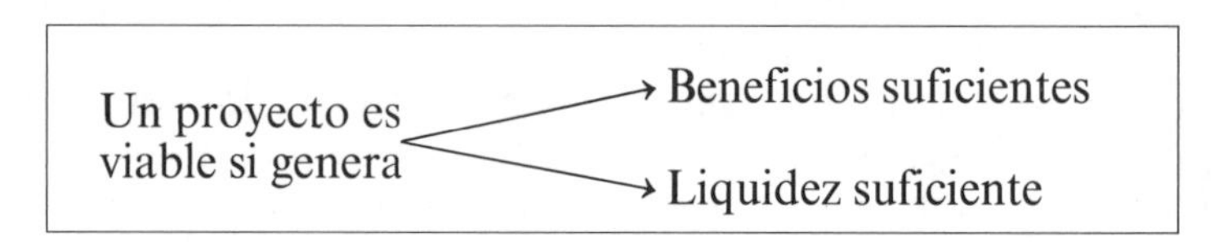

A continuación, se desarrolla una metodología para confeccionar estudios de viabilidad de empresas. En el caso de que se quiera analizar la viabilidad de una inversión concreta se puede utilizar la misma metodología. Esta metodología puede usarse tanto para empresas que inicien sus actividades como para empresas ya existentes.

Para determinar la viabilidad o no de una empresa hay que elaborar una serie de presupuestos:

Presupuesto de inversiones

El presupuesto de inversiones comprende la relación de desembolsos por este concepto que ha de efectuar la empresa durante el plazo de tiempo que se estudie. Los estudios de viabilidad se hacen normalmente a 5 ó 10 años vista. En caso de que la empresa piense solicitar un préstamo a más largo plazo, se suele utilizar este plazo como horizonte del estudio de viabilidad. La razón de ello está en que uno de los objetivos del estudio es demostrar si se pueden devolver los préstamos a solicitar o no.

En el presupuesto de inversiones se incluyen tanto las inversiones en activo inmovilizado como las inversiones en circulante (ver figura 6.5).

	Año 1	Año 2	....	Año n
Inmovilizado				
Terrenos				
Maquinaria				
Etc.				
Circulante				
Existencias				
Clientes				
Etc.				
Total inversiones				

Figura 6.5. Presupuesto de inversiones

Presupuesto de financiación

Este presupuesto (figura 6.6) incluye todas las fuentes financieras que utilizará la empresa para cubrir el presupuesto de inversiones.

	Año 1	Año 2	....	Año n
Capital Reservas (beneficios retenidos) Préstamos Proveedores Etc.				
Total financiación				

Figura 6.6. Presupuesto de financiación

Una de las condiciones que se han de cumplir para que un proyecto sea viable es que el presupuesto de financiación cubra todos los años al presupuesto de inversiones. En caso contrario, la empresa no tendría la liquidez suficiente para llevar a cabo el proyecto.

Cuentas previsionales de resultados

Con estas previsiones (figura 6.7), se trata de estimar los resultados anuales que obtendrá la empresa. Para obtener las cuentas previsionales de resultados se han de aplicar las técnicas desarrolladas en el apartado 6.2.1.

El proyecto será viable si los resultados previstos son positivos y suficientes. Para determinar si los beneficios son suficientes, se pueden usar dos métodos:

— El primero sería calcular el porcentaje anual de rentabilidad de los capitales propios (véase apartado 4.3.2.). Para ello, se dividirá el beneficio neto de cada año por el volumen de capitales propios de cada año:

$$\text{Rentabilidad anual de los capitales propios} = \frac{\text{Beneficio neto anual}}{\text{Capitales propios del año}}$$

Para que el proyecto sea viable, la rentabilidad de cada año debería ser superior o igual a lo mínimo que esperan los accionistas.

	Año 1	Año 2	....	Año n
Ventas + Otros ingresos − Materiales − Personal − Gastos financieros − Tributos − Portes − Gastos generales − Amortización				
Beneficio antes de impuestos − Impuesto de sociedades				
Beneficio neto previsto				

Figura 6.7. Cuentas previsionales de resultados

— Otra forma de determinar si los beneficios son suficientes sería aplicar las técnicas de selección de inversiones que se analizan en el capítulo 7.

Plan financiero

Con este presupuesto (véase apartado 6.2.2), se trata de prever cuál será el saldo de la tesorería al final de cada año.

El plan financiero, en un estudio de viabilidad, se confecciona a partir del beneficio neto obtenido con las cuentas de pérdidas y ganancias previsionales. Al beneficio neto se le restan o suman aquellos cobros y pagos que no se han incluido en las cuentas de pérdidas y ganancias previsionales (véase figura 6.8).

Obsérvese que parte de la información del plan financiero se obtiene del presupuesto de inversiones, del presupuesto de financiación y de las cuentas previsionales de resultados.

Para que el proyecto sea viable, el plan financiero ha de demostrar que la empresa tendrá liquidez positiva al final de cada año. El plan financiero ha de incluir el saldo de tesorería al principio de cada año e irlo aumentando (véase figura 6.9).

	Año 1	Año 2	....	Año n
Beneficio neto + Amortizaciones (gasto que no se paga) + Préstamos obtenidos + Ampliación de capital + Etc. − Dividendos − Devoluciones de préstamos − Inversiones				
Tesorería generada				

Figura 6.8. Plan financiero (a partir del resultado previsional)

	Año 1	Año 2	....	Año n
Saldo inicial de tesorería + Tesorería generada				
Saldo final de tesorería				

Figura 6.9. Plan financiero

El saldo final de tesorería de cada año coincidirá con el saldo inicial de tesorería del año siguiente.

Presupuesto de caja

Finalmente, para completar el estudio de viabilidad es conveniente efectuar un presupuesto de caja para los doce meses del primer año (véase figura 6.10).

Con ello se comprueba si la empresa tendrá liquidez positiva durante cada uno de los doce meses del primer año.

	Enero	Febrero	....	Diciembre
Saldo inicial + Cobros − Pagos				
Saldo final				

Figura 6.10. Presupuesto de caja

Resumiendo: para que un proyecto sea viable, se han de cumplir las condiciones siguientes:

— El presupuesto de inversiones ha de ser cubierto por el de financiación.
— Los resultados previstos han de ser positivos y suficientes.
— La liquidez prevista ha de ser positiva cada año y cada uno de lo meses del primer año.

6.4. **Ejemplos**

EJEMPLO 6.1. PLANIFICACIÓN A LARGO PLAZO

Seguidamente, se desarrolla un ejemplo de planificación a largo plazo. Supóngase que el objetivo a conseguir es obtener una rentabilidad de los capitales propios igual o superior al 20 %.

Al inicio del plan, la empresa cuenta con el balance de situación siguiente (en millones de pesetas):

Activo		Pasivo	
Fijo	110	Capital	80
Existencias	30	Deudas a largo plazo	80
Realizable	20		
Disponible	0		
Total	160	Total	160

Previsión de las ventas: Supóngase que una vez estudiados el mercado y la competencia se llega a las previsiones siguientes (en millones de pesetas):

19X1	170
19X2	210
19X3	260
19X4	330
19X5	420
	1.390

Previsión de los gastos: Conocidas las ventas, se pueden estimar con mayor facilidad los gastos. El coste de las ventas, los sueldos y salarios y los gastos generales se estiman normalmente en porcentaje sobre las ventas:

	19X1	19X2	19X3	19X4	19X5
Coste de las ventas	35 %	35 %	34 %	34 %	34 %
Sueldos y salarios	30 %	30 %	30 %	30 %	30 %
Gastos generales	10 %	12 %	14 %	12 %	12 %

Las amortizaciones se calculan en base a la inversión en activo fijo existente en cada año. Supóngase que se obtienen los datos siguientes (en millones de pesetas):

19X1	11
19X2	12
19X3	11
19X4	16
19X5	19

Los gastos financieros se calculan a partir de la deuda que tenga la empresa. Supóngase que los gastos financieros serán los que siguen (en millones de pesetas):

19X1	6
19X2	8
19X3	11

19X4.... 12
19X5.... 14

Previsión de las cuentas de pérdidas y ganancias

A partir de los datos anteriores, ya se pueden confeccionar las cuentas de pérdidas y ganancias previsionales (figura 6.11).

	19X1	19X2	19X3	19X4	19X5
Ventas	170	210	260	330	420
– Coste de las ventas	–59,5	–73,5	–88,4	–112,2	–142,8
– Sueldos y salarios	–51	–63	–78	–99	–126
– Gastos generales	–17	–25,2	–36,4	–39,6	–50,4
– Amortizaciones	–11	–12	–11	–16	–19
– Gastos financieros	–6	–8	–11	–12	–14
Beneficio antes de impuestos	25,5	28,3	35,2	51,2	67,8

Figura 6.11. Cuentas de pérdidas y ganancias previsionales (en millones de pesetas)

Una vez obtenidos los resultados previsionales, se deberían comparar éstos con el capital invertido por los accionistas para ver si se alcanza la rentabilidad deseada. Supóngase que la inversión de los accionistas es de 80 millones de pesetas. En este caso, se alcanza cada año el objetivo de una rentabilidad igual o superior al 20 %.

Plan financiero

A partir del resultado previsto que se acaba de obtener, ya se puede calcular el plan financiero. Para ello, se han de conocer, como mínimo, los datos que siguen:

— Impuesto de sociedades: supóngase un 35 %.
— Inversiones a realizar: supóngase las siguientes (en millones):

19X1 10
19X2 12
19X3 15

19X4 16
19X5 20

— Dividendos a repartir: supóngase un 15 % sobre el capital de 80 millones de pesetas, o sea 12 millones de pesetas anuales.
— Ampliaciones de capital: supóngase que no habrá.
— Aumentos o reducciones de deuda bancaria: supóngase que no habrá.
— Saldo inicial de tesorería: nulo.

Con base en lo anterior, se puede obtener el plan de la figura 6.12.

	19X1	19X2	19X3	19X4	19X5
Saldo inicial	0	+ 5,6	+ 12,0	+ 18,9	+ 40,2
+ Beneficio antes de impuestos	+ 25,5	+ 28,3	+ 35,2	+ 51,2	+ 67,8
+ Amortización	+ 11,0	+ 12,0	+ 11,0	+ 16,0	+ 19,0
− Aplicación:					
Inversiones	− 10,0	− 12,0	− 15,0	− 16,0	− 20,0
Impuestos	− 8,9	− 9,9	− 12,3	− 17,9	− 23,7
Dividendos	− 12,0	− 12,0	− 12,0	− 12,0	− 12,0
Saldo final	+ 5,6	+ 12,0	+ 18,9	+ 40,2	+ 71,3

Figura 6.12. Plan financiero (en millones de pesetas)

Como se puede comprobar en el plan financiero del ejemplo, se obtendrán elevados superávit de fondos. Por tanto, el plan parece viable, ya que se conseguirán beneficios y liquidez suficientes.

Ejemplo 6.2. Confección de un estudio de viabilidad

Una empresa de distribución alimentaria está estudiando la posibilidad de arrendar una parada de Mercabarna. Los datos previsionales que se disponen son los siguientes:

— *Inversiones:* Las inversiones que se han de efectuar para poner en marcha la parada son:

Local	8.000.000
Instalaciones	1.500.000
Utillaje	1.600.000
Mobiliario	1.100.000
	12.200.000

Estas inversiones se han de pagar al contado. La amortización del local se hará en 20 años y el resto del inmovilizado en 10 años.

— *Financiación:* Se puede obtener un crédito de 10.000.000 de pesetas a devolver en 5 años (2 millones cada año) a un interés del 20 %. El resto de la inversión se financiará con capital propio.

— *Gastos anuales:*

- sueldos y seguridad social: 4.000.000 al año;
- gastos financieros: los del préstamo que se solicita;
- gastos generales: 800.000 pesetas al año;
- amortización: la de las inversiones efectuadas.

Los gastos de personal y los gastos generales aumentarán un 10 % cada año. El impuesto de sociedades ascenderá al 35 % del beneficio antes de impuestos.

— *Ingresos:* Hay dos clases de ingresos:

- *Ingresos por venta:* por la venta realizada se cobra una comisión del 10 % sobre la venta. Para el año 19X1 se prevén unas ventas de 400.000 pesetas diarias. Se prevén 240 días laborables al año. En los años siguientes, se prevé un incremento de las ventas del 10 % anual. A los proveedores se les liquida una vez efectuada la venta. Las ventas se cobran al contado.
- *Ingresos por descarga:* por cada caja descargada se cobran 4 pesetas. En el año 19X1, se prevé descargar 1.000 cajas diarias. En los años siguientes, se descargarán 1.500 cajas diarias. El precio de la caja descargada aumentará un 10 % cada año. Estos ingresos se cobran al contado.

Trabajo a realizar: se trata de hacer un estudio de viabilidad que comprenderá lo siguiente:

a) presupuesto de inversiones,
b) presupuesto de financiación,
c) cuentas previsionales de resultados para los primeros 5 años,
d) plan financiero de los primeros 5 años.

Estudio de viabilidad

a) Presupuesto de inversiones

Dado que las ventas se cobran al contado y a los proveedores se les paga con posterioridad a la venta, no se han de hacer inversiones en existencias ni en realizable. Por tanto, las únicas inversiones a efectuar son en inmovilizado.

Local	8.000.000
Instalaciones	1.500.000
Utillaje	1.600.000
Mobiliario	1.100.000
Total	12.200.000

La amortización anual del inmovilizado se calcula como sigue:

—locales:

$$\frac{8.000.000}{20 \text{ años}} = 400.000 \text{ pesetas}$$

—resto del inmovilizado:

$$\frac{4.200.000}{10 \text{ años}} = 420.000 \text{ pesetas}$$

Por tanto, la amortización anual calculada según el coste histórico, asciende a 820.000 pesetas.

En caso de que se pretenda financiar con las amortizaciones la reposición de estos inmovilizados, habrá que ir actualizando cada año las cuotas de amortización.

b) *Presupuesto de financiación*

La financiación de las inversiones se hará como sigue:

Préstamo	10.000.000
Capital	2.200.000
Total	12.200.000

El cuadro de amortización del préstamo es (en miles de pesetas):

	19X1	19X2	19X3	19X4	19X5
Devolución préstamo	2.000	2.000	2.000	2.000	2.000
Intereses	2.000	1.600	1.200	800	400
Total pagos	4.000	3.600	3.200	2.800	2.400

c) *Cuentas previsionales de resultados*

Seguidamente, se calculan los ingresos de las cuentas de resultados:

— Ingresos por comisión:
- Las comisiones ingresadas en 19X1 serán: 0,10 × 400.000 ptas/día × 240 días = 9.600.000
- Las comisiones de 19X2 serán: 0,10 × 600.000 ptas/día × 240 días = 14.400.000
- Las comisiones de 19X3, 19X4 y 19X5 crecerán a razón de un 10 % anual.

— Ingresos por descarga:
- En 19X1 se ingresarán: 4 ptas × 1.000 cajas/día × 240 días = 960.000
- En 19X2 se ingresarán: 4 ptas × 1.500 cajas/día × 240 días = 1.440.000
- Los ingresos por descarga de 19X3, 19X4 y 19X5 aumentarán un 10 % anual.

De las cuentas previsionales de resultados (figura 6.13) se desprende que esta empresa obtendrá beneficios a partir del primer año. Asimismo, la rentabilidad de los capitales propios será muy elevada (1.911.000/2.200.000 = 0,87 en el primer año).

d) *Plan financiero (a partir del resultado previsional)*

Al beneficio neto se le sumarán o restarán aquellas partidas que lo afecten para hallar la tesorería generada (figura 6.14).

	19X1	19X2	19X3	19X4	19X5
Comisiones	9.600	14.400	15.840	17.424	19.166
Descarga	960	1.440	1.584	1.742	1.917
Total ingresos	10.560	15.840	17.424	19.166	21.083
– Sueldos y s.s.	–4.000	–4.400	–4.840	–5.324	–5.827
– Gastos financieros	–2.000	–1.600	–1.200	–800	–400
– Gastos generales	–800	–880	–968	–1.065	–1.171
– Amortización	–820	–820	–820	–820	–820
Beneficio antes de impuestos	2.940	8.140	9.596	11.157	12.835
– Impuesto de sociedades	–1.029	–2.849	–3.359	–3.905	–4.492
Beneficio neto	1.911	5.291	6.237	7.252	8.343

Figura 6.13. Cuentas previsionales de resultados (en miles de pesetas)

	19X1	19X2	19X3	19X4	19X5
Beneficio neto	1.911	5.291	6.237	7.252	8.343
+ Amortizaciones	+820	+820	+820	+820	+820
– Devolución préstamo	–2.000	–2.000	–2.000	–2.000	–2.000
Tesorería generada	+731	+4.111	+5.057	+6.072	+7.163

Figura 6.14. Plan financiero (en miles de pesetas)

De los datos de la figura 6.14, se desprende que esta empresa generará una tesorería positiva a partir del primer año. Dado que todos los presupuestos son altamente positivos, se puede afirmar que esta empresa es viable.

Capítulo 7

ANÁLISIS Y SELECCIÓN DE INVERSIONES

7.1. **Aspectos previos a la selección de inversiones**

Antes de proceder al estudio de los métodos de selección de inversiones, es conveniente tener en cuenta algunos aspectos previos:

— tipos de inversión;
— cálculo del importe a invertir;
— beneficios que produce una inversión;
— plan de tesorería de una inversión.

7.1.1. TIPOS DE INVERSIÓN

Dentro del concepto de inversión se han de incluir tanto las que corresponden al activo inmovilizado como las que componen el activo circulante. De hecho, todo lo que está en el activo de un balance de situación es la inversión total que tiene la empresa.

De acuerdo con lo anterior, las inversiones se podrán agrupar en la tipología siguiente:

— inversiones en activo inmovilizado
— inversiones en existencias } activo circulante
— inversiones en realizable } activo circulante
— inversiones en disponible } activo circulante

Dado que toda inversión ha de ser financiada, la gestión de las inversiones se ha de orientar hacia la obtención de la máxima rentabilidad. Es decir, se ha de perseguir el máximo beneficio con la mínima inversión posible:

$$\text{Rentabilidad de una inversión} = \frac{\text{Beneficio de la inversión} \uparrow}{\text{Inversión efectuada} \downarrow}$$

La idea de operar con la mínima inversión posible ha generado las técnicas de gestión que persiguen el nivel cero de existencias, saldo cero de clientes y saldo cero de disponible.

Así, por ejemplo, en los últimos años se están desarrollando nuevas técnicas de gestión, como el *cash management* (gestión de la tesorería) o el *credit management* (gestión de clientes) que tratan de rentabilizar al máximo la inversión en estas partidas.

7.1.2. Cálculo del importe a invertir

Para poder analizar una inversión es preciso conocer el montante de la misma. En el caso de una inversión en activo inmovilizado, el importe a invertir es la suma de todos los desembolsos que ocasionará su adquisición.

Para las inversiones en activo circulante, se trata de calcular la variación que se va a producir en los saldos medios de existencias, clientes o disponible. El importe aproximado de la inversión será el aumento que se producirá en el saldo medio de existencias, clientes o disponible. El cálculo de saldo medio puede hacerse tomando la suma de los saldos de doce meses consecutivos y dividiendo por doce.

7.1.3. Beneficios que produce una inversión

Una vez se conoce el importe a invertir, es preciso calcular los beneficios que producirá la inversión.

Estos beneficios se obtendrán por la diferencia entre los ingresos adicionales que se percibirán gracias a la nueva inversión y los gastos adicionales correspondientes:

Ingresos adicionales
– Gastos adicionales

= Beneficios de la inversión

En el apartado de ingresos adicionales, hay que sumar las reducciones de gastos que se producirán con la nueva inversión.

Así, por ejemplo, una inversión en inmovilizado puede ocasionar ingresos adicionales (aumento de ventas o reducción de ciertos gastos) y elevar los gastos (costes proporcionales al aumento de ventas). Una inversión en existencias puede producir ingresos adicionales (aumento de ventas, beneficios por adelantarse a una subida de precios) y unos gastos adicionales (gastos financieros del aumento de existencias, espacio de almacenaje, etc.).

Una inversión en clientes, dándoles más facilidades de pago, puede producir ingresos adicionales (aumento de ventas) y gastos adicionales (costes proporcionales al aumento de ventas, gastos financieros de la inversión en clientes, aumentos de impagados, etc.).

Finalmente, una inversión en disponible también puede generar ingresos adicionales (intereses bancarios) y gastos adicionales (coste financiero de mantener dicha inversión en disponible).

7.1.4. Plan de tesorería de una inversión

Además de conocer el importe a invertir y los beneficios que aportará la inversión se necesita elaborar el plan de tesorería de la misma.

El plan de tesorería ha de incluir todos los cobros y pagos que hacen referencia a la inversión. Estos cobros y pagos han de distribuirse por años (véase figura 7.1).

En el plan de tesorería de una inversión no ha de incluirse la forma de pago de la inversión. De hecho, al analizar la inversión

	Año 1	Año 2	....	Año n
+ Cobros relativos a los ingresos adicionales − Pagos relativos a los gastos adicionales				
= Flujo de caja adicional				

Figura 7.1. Plan de tesorería

lo que se hace es comparar el importe invertido con el flujo de caja adicional que proporciona la inversión.

Nótese que en los «pagos relativos a los gastos adicionales» no se incluyen las amortizaciones del inmovilizado por no tener que desembolsarse.

7.2. **Métodos de selección de inversiones**

Los métodos de selección de inversiones se utilizan para decidir la conveniencia o no de llevar a cabo un determinado proyecto de inversión. Asimismo, también se utilizan para decidir la alternativa más favorable de entre varios proyectos de inversión.

Estos métodos pueden ser clasificados en dos grupos:

— métodos estáticos,
— métodos dinámicos.

7.2.1. MÉTODOS ESTÁTICOS

Los métodos estáticos consideran todos los cobros y pagos que conlleva una inversión sin tener en cuenta el momento en el que se producen. Así, por ejemplo, un cobro recibido en el año 1 tiene el mismo tratamiento que otro cobro recibido en el año 3. Esta circunstancia simplifica los cálculos, pero tiene el inconveniente de que los resultados de estos métodos siempre son aproximados y nunca exactos.

Los métodos estáticos más usados son el del flujo neto de caja y el del plazo de recuperación o *pay back*.

a) *Flujo neto de caja*

El flujo neto de caja es la suma de todos los cobros menos la suma de todos los pagos relacionados con una determinada inversión, incluyendo el desembolso inicial:

$$\text{Flujo neto de caja} = \text{Cobros que proporciona la inversión} - \text{Pagos que ocasiona la inversión}$$

Según este método, una inversión será favorable si produce un flujo neto de caja positivo. Si se ha de escoger entre varios proyectos de inversión se decidirá por el proyecto que genere un flujo neto de caja mayor.

Ejemplo A

Seguidamente, se calcula el flujo neto de caja de una inversión que precisa un desembolso inicial de 5.000.000 de pesetas al inicio del primer año.

La inversión generará los cobros que siguen:

3.000.000 de pesetas (al final del primer año)
3.000.000 de pesetas (al final del segundo año)

El flujo neto de caja se puede calcular así:

$$\text{Flujo neto de caja} = -5.000.000 + 3.000.000 + 3.000.000 = +1.000.000 \text{ pts.}$$

Ejemplo B

Se trata de decidir cuál de las dos inversiones siguientes es más conveniente utilizando el criterio del flujo neto de caja:

		1.ª inversión	2.ª inversión
	Inversión inicial	4.000.000	4.000.000
Cobros	Al final del primer año	0	5.000.000
	Al final del segundo año	0	0
	Al final del tercer año	5.000.000	0

El flujo neto de caja de las dos alternativas es igual a 1.000.000. Por tanto, las dos alternativas son igualmente aconsejables desde el punto de vista del criterio del flujo neto de caja.

El principal problema de este método está en que no tiene en cuenta el momento del tiempo en el que se producen los cobros y pagos. Evidentemente, no es lo mismo percibir 5.000.000 dentro de un año que dentro de tres años.

b) *Plazo de recuperación o pay back*

El plazo de recuperación o *pay-back* es el tiempo que tarda en recuperarse el importe invertido. Para calcular el plazo de recuperación, se han de ir sumando y restando los diferentes cobros y pagos por orden cronológico hasta que su suma sea igual al importe invertido. En ese momento, se habrá recuperado el importe invertido.

De entre todos los proyectos aconsejables, el más conveniente, según este criterio, es aquel que tiene un plazo de recuperación más corto.

Este método tiene serios inconvenientes:

— No considera lo que ocurre después del plazo de recuperación, lo que deja al margen del análisis una cantidad muy importante de información.
— Según este método, son igual de aconsejables dos proyectos si tienen el mismo plazo de recuperación. Así, un proyecto con un plazo de recuperación de cinco años, que durante los cuatro primeros recupera el 10 % del capital invertido y el otro 90 % se recupera en el quinto año es tan aconsejable como otro en el que se recupera el 90 % el primer año y durante los cuatro siguientes el 10 % restante.

Seguidamente, se solucionan, por este método, los dos ejemplos estudiados al explicar el flujo neto de caja.

Ejemplo A

Inversión inicial, 5.000.000. Cobro de 3.000.000 al final del primer año y de 3.000.000 al final del segundo año.

Dado que los cobros se reciben al final de cada año, el plazo de recuperación es de dos años.

Ejemplo B

La primera inversión se recupera a los tres años y la segunda inversión al cabo de un año. Por tanto, según el criterio del plazo de recuperación, la segunda inversión es preferible a la primera.

		1.ª inversión	2.ª inversión
	Inversión inicial	4.000.000	4.000.000
Cobros	Al final del primer año	0	5.000.000
	Al final del segundo año	0	0
	Al final del tercer año	5.000.000	0

7.2.2. MÉTODOS DINÁMICOS

Los métodos dinámicos tienen en cuenta el momento en el que se producen los cobros y los pagos. Consecuentemente, un determinado cobro o pago tendrá una distinta valoración según el momento en que se produzca.

Los métodos dinámicos más usados son:

— método del valor actual neto (VAN);
— método de la tasa interna de rentabilidad (TIR).

Antes de tratar los métodos dinámicos es preciso introducir el concepto de valor actual.

a) *Cálculo del valor actual de un importe a cobrar o pagar en el futuro*

El valor actual de una cantidad a cobrar o pagar en el futuro es la conversión a pesetas de hoy de unas pesetas futuras. Por tanto, el valor actual se obtiene transformando en pesetas de hoy un valor futuro. Para efectuar la conversión de pesetas futuras en pesetas de hoy se ha de tener en cuenta la tasa de actualización.

Por ejemplo, si se han de cobrar 110 pesetas dentro de un año y la tasa de actualización anual es del 10 %, se percibirá una cantidad cuyo valor actual es de 100 pesetas. Para obtener el valor actual de las 110 pesetas se ha dividido dicho importe por 1 más la tasa de actualización.

$$\text{Valor actual} = \frac{\text{Valor futuro}}{1 + \text{tasa anual actualización}} =$$
$$= \frac{110}{1 + 0{,}10} = \frac{110}{1{,}10} = 100$$

Con el ejemplo anterior, lo que se está afirmando es que es lo mismo cobrar 110 pesetas dentro de un año que percibir 100 pesetas hoy. Si se ha de actualizar una cantidad que se ha de cobrar o pagar dentro de más de un año se utiliza la fórmula siguiente:

$$\text{Valor actual} = \frac{\text{Valor futuro}}{(1 + \text{tasa anual actualización})^{n}}$$

Obsérvese que el denominador se eleva al número de años (n) que tardará en producirse el cobro o pago.

Por ejemplo, si se han de cobrar 121 pesetas dentro de dos años y se sabe que la tasa anual de actualización es del 10 %, el valor actual será:

$$\text{Valor actual} = \frac{\text{Valor futuro}}{(1 + \text{tasa anual actualización})^{n}} =$$
$$= \frac{121}{(1 + 0{,}10)^{2}} = \frac{121}{1{,}21} = 100 \text{ pesetas}$$

La fórmula que se está desarrollando puede expresarse de otra forma:

$$\text{Valor actual} = \text{Valor futuro} \times \underbrace{\frac{1}{(1 + \text{tasa anual actualización})^{n}}}_{\text{Factor de actualización}}$$

El valor actual se obtiene multiplicando el valor futuro por el factor de actualización. En el ejemplo anterior, se haría:

$$\text{Valor actual} = 121 \times \frac{1}{(1 + 0{,}10)^{2}} = 121 \times \frac{1}{1{,}21} =$$
$$= 121 \times 0{,}826446 = 100 \text{ pesetas}$$

Por tanto, el factor de actualización del ejemplo desarrollado es igual a 0,826446.

El factor de actualización puede obtenerse más fácilmente con la ayuda de tablas financieras (véase figura 7.2). Por ejemplo, el factor de actualización de un valor futuro a 2 años y con una tasa de actualización del 10 % es igual a 0,826446.

N.º años	Tasa anual de actualización							
	10 %	12 %	15 %	18 %	20 %	22 %	25 %	30 %
1	0,909091	0,892857	0,869565	0,847457	0,833333	0,819672	0,800000	0,769230
2	0,826446	0,797193	0,756143	0,718184	0,694444	0,671862	0,640000	0,591715
3	0,751315	0,711780	0,657516	0,608630	0,578703	0,550706	0,512000	0,455166
4	0,683013	0,635518	0,571753	0,515788	0,482253	0,451399	0,409600	0,350127
5	0,620921	0,567426	0,497176	0,437109	0,401877	0,369999	0,327680	0,269329
6	0,564474	0,506631	0,432327	0,370431	0,334897	0,303278	0,262144	0,207176
7	0,513158	0,452349	0,375937	0,313925	0,279081	0,248588	0,209715	0,159366
8	0,466507	0,403883	0,326901	0,266038	0,232568	0,203761	0,167772	0,122589
9	0,424098	0,360610	0,284262	0,225456	0,193806	0,167017	0,134217	0,094299
10	0,385543	0,321973	0,247184	0,191064	0,161505	0,136899	0,107374	0,072538
11	0,350494	0,287476	0,214943	0,161919	0,134587	0,112212	0,085899	0,055798
12	0,318631	0,256675	0,186907	0,137219	0,112156	0,091977	0,068719	0,042921
13	0,289664	0,229174	0,162527	0,116287	0,093463	0,075391	0,054975	0,033016
14	0,263331	0,204619	0,141328	0,098548	0,077886	0,061796	0,043980	0,025397
15	0,239392	0,182696	0,122894	0,083516	0,064905	0,050652	0,035184	0,019536
16	0,217629	0,163121	0,106864	0,070776	0,054087	0,041518	0,028147	0,015028
17	0,197845	0,145644	0,092925	0,059979	0,045073	0,034031	0,022517	0,011560
18	0,179859	0,130039	0,080805	0,050830	0,037561	0,027894	0,018014	0,008892
19	0,163508	0,116106	0,070265	0,043076	0,031300	0,022864	0,014411	0,006840
20	0,148644	0,103666	0,061100	0,036505	0,026084	0,018741	0,011529	0,005261
25	0,092296	0,058823	0,030377	0,015956	0,010482	0,006934	0,003777	0,001417
30	0,057308	0,033377	0,015103	0,006974	0,004212	0,002565	0,001237	0,000381

Figura 7.2. Tabla para obtener factores de actualización

Nótese que el factor de actualización es igual al valor actual de 1 peseta a un número de años y para una tasa de actualización dados.

b) *Valor actual neto (VAN)*

El valor actual neto de una inversión es el valor actualizado de todos los cobros menos el valor actualizado de todos los pagos:

VAN = Valor actual de todos los cobros − Valor actual de todos los pagos

Una inversión será aconsejable si su VAN es positivo y desaconsejable si su VAN es negativo. Si el VAN es igual a 0, la inversión será indiferente.

De entre varias alternativas, la inversión más aconsejable será la que tenga un VAN más positivo.

A continuación, se calcula el VAN de los ejemplos estudiados en apartados anteriores:

Ejemplo A

Inversión inicial = 5.000.000
Cobro = 3.000.000 (al final del primer año)
Cobro = 3.000.000 (al final del segundo año)
Tasa de actualización = 10 %

$$\begin{aligned} \text{VAN} &= -5.000.000 + \frac{3.000.000}{1 + 0{,}10} + \frac{3.000.000}{(1 + 0{,}10)^2} = \\ &= -5.000.000 + \frac{3.000.000}{1{,}10} + \frac{3.000.000}{1{,}21} = \\ &= -5.000.000 + 2.727.272 + 2.479.338 = \\ &= +206.610 \end{aligned}$$

La inversión es aconsejable, ya que el VAN es positivo.

Ejemplo B

		1.ª inversión	2.ª inversión
	Inversión inicial	4.000.000	4.000.000
Cobros	Al final del primer año	0	5.000.000
	Al final del segundo año	0	0
	Al final del tercer año	5.000.000	0

El VAN de la primera inversión es:

$$
\begin{aligned}
VAN &= -4.000.000 + \frac{5.000.000}{(1 + 0{,}10)^3} = \\
&= -4.000.000 + \frac{5.000.000}{1{,}331} = \\
&= -4.000.000 + 3.756.574 = \\
&= -243.426
\end{aligned}
$$

El VAN de la segunda inversión es:

$$
\begin{aligned}
VAN &= -4.000.000 + \frac{5.000.000}{(1 + 0{,}10)} = \\
&= -4.000.000 + 4.545.454 = \\
&= +545.454
\end{aligned}
$$

Dado que la segunda inversión tiene un VAN positivo, es preferible a la primera.

c) *Tasa interna de rentabilidad (TIR)*

La tasa interna de rentabilidad (TIR) es aquella tasa de actualización que hace que el valor actual neto de una inversión sea igual a cero.

$$VAN = 0 = \text{Valor actual de todos los cobros} - \text{Valor actual de todos los pagos}$$

Según este método, una inversión es aconsejable si su TIR es igual o mayor que el tipo de interés mínimo que se desea obtener.

La mejor alternativa, cuando se ha de escoger entre varias, será la que tenga la TIR mayor.

El cálculo de la TIR es a veces complejo y, a menos de que se disponga de una calculadora programable, se recomienda usar el sistema de prueba y error. Así, se calcula el VAN de la inversión para una tasa cualquiera. Según el valor del VAN que nos resulte, calcularemos nuevos VAN para diferentes tasas, hasta acotar con la suficiente exactitud el intervalo en el que se encuentra la TIR.

Por ejemplo, supóngase que, para t (tasa de actualización) = = 7 %, VAN = −800, y para t = 4 %, VAN = +50. Por tanto, la TIR está entre 4 % y 8 %. Se calcularía entonces el VAN para t = 5 %. Si el VAN fuese de −26 para t = 5 %, indicaría que la

TIR está entre 4 % y 5 %. Si este intervalo se considera muy amplio, se acortaría calculando el VAN para 4,75 y 4,25 % y así sucesivamente.

Obsérvese que, mientras que el VAN cuantifica el beneficio absoluto en pesetas, que va a producir la inversión, la TIR informa del porcentaje de rentabilidad de la inversión.

A continuación, se estudian los dos ejemplos que se han utilizado en los puntos anteriores.

Ejemplo A

Calcular la TIR de una inversión inicial de 5.000.000 de la cual se obtendrán 3.000.000 dentro de un año y 3.000.000 dentro de dos años. La TIR será aquella tasa que hará el VAN igual a cero:

$$\text{VAN} = -5.000.000 + \frac{3.000.000}{1 + \text{TIR}} + \frac{3.000.000}{(1 + \text{TIR})^2} = 0$$

Si se calcula por el método de prueba y error, se hará:

— para r = 12 %, el VAN es igual a + 70.152;
— para r = 13 %, el VAN es igual a + 4.307;
— para r = 14 %, el VAN es igual a − 60.020.

Por tanto, la TIR estará comprendida entre 13 % y 14 %.

Ejemplo B

		1.ª inversión	2.ª inversión
	Inversión inicial	4.000.000	4.000.000
Cobros	Al final del primer año	0	5.000.000
Cobros	Al final del segundo año	0	0
Cobros	Al final del tercer año	5.000.000	0

La TIR de la primera inversión es:

$$\text{VAN} = -4.000.000 + \frac{5.000.000}{(1 + \text{TIR})^3} = 0$$
$$\text{TIR} = 7{,}7\,\%$$

La TIR de la segunda inversión es:

$$\text{VAN} = -4.000.000 + \frac{5.000.000}{(1 + \text{TIR})} = 0$$
$$\text{TIR} = 25\,\%$$

La segunda inversión es preferible a la primera, porque tiene la TIR más elevada.

7.3. **Ejemplos**

EJEMPLO 7.1. MÉTODOS DE EVALUACIÓN DE INVERSIONES

Se trata de evaluar la inversión siguiente utilizando los métodos del VAN y la TIR:

— inversión inicial: 100.000 pesetas en bonos del bancoX;
— amortización de los bonos: a los tres años;
— intereses netos pagados por el banco X: 7 % anual;
— desgravación fiscal de los bonos: proporcionan una reducción en el pago de impuestos del primer año del 15 % del valor de los bonos;
— tasa de actualización para el VAN: 10 % anual.

Cálculo del VAN

Se producirán los siguientes flujos de tesorería:

	Inversión inicial	=	− 100.000
Primer año	Desgravación fiscal	=	+ 15.000
	Intereses	=	+ 7.000
Segundo año	Intereses	=	+ 7.000
Tercer año	Intereses	=	+ 7.000
	Devolución bonos	=	+ 100.000

$$VAN = -100.000 + \frac{22.000}{1,10} + \frac{7.000}{1,10^2} + \frac{107.000}{1,10^3} = +6.175,81$$

Dado que el VAN es positivo, la inversión es aconsejable.

Cálculo de la TIR

La TIR será aquella tasa que iguale a cero el VAN:

$$VAN = 0 = -100.000 + \frac{22.000}{1 + TIR} + \frac{7.000}{(1 + TIR)^2} + \frac{107.000}{(1 + TIR)^3}$$

En este caso, la TIR sería igual a 12,60 %. Por tanto, la rentabilidad de esta inversión sería del 12,60 % anual.

EJEMPLO 7.2. ANÁLISIS DE UN PLAN DE PENSIONES

Un banco ofrece el siguiente plan de pensiones:

— se han de invertir 60.000 pesetas al año,
— durante 40 años,
— al final de los 40 años, el inversionista percibirá 18.449.000 pesetas.

Se pide:

— ¿cuál es el valor actual de la cantidad que se percibe al final?;
— ¿a cuánto asciende la rentabilidad de este plan de pensiones?

Solución

El valor actual, suponiendo una tasa de actualización (t) del 10 % anual, será:

$$\text{Valor actual} = \frac{\text{Valor futuro}}{(1 + t)^n} = \frac{18.449.000}{(1 + 0,1)^{40}} = 407.622$$

Por tanto, si el inversionista decide llevar a cabo este plan de pensiones, percibirá dentro de 40 años el equivalente a 407.622 pesetas de hoy.

Para conocer la rentabilidad del plan de pensiones, se ha de calcular la tasa interna de rentabilidad.

$$\text{VAN} = 0 = -\frac{60.000}{(1+\text{TIR})} - \frac{60.000}{(1+\text{TIR})^2} - \cdots - \frac{60.000}{(1+\text{TIR})^{40}} + \frac{18.449.000}{(1+\text{TIR})^{40}}$$

La TIR que iguala a cero el VAN de la ecuación anterior es igual a 8,35 % anual. Por tanto, la rentabilidad anual del plan de pensiones asciende a 8,35 %.

Dada la complejidad matemática de la ecuación anterior, se recomienda para su resolución el uso de una calculadora financiera que disponga de la operación TIR.

EJEMPLO 7.3. EVALUACIÓN DE UNA INVERSIÓN EN MAQUINARIA

Una empresa tiene la posibilidad de adquirir una máquina que le permite reducir el coste de la mano de obra y de la energía. La máquina, que cuesta 17.000.000 de pesetas, tendrá un valor residual de 2.000.000 al final de una vida útil de 5 años.

Los ingresos anuales (reducción de costes) que producirá la máquina serán:

Año 1	3.000.000
Año 2	3.500.000
Año 3	4.000.000
Año 4	4.300.000
Año 5	4.500.000

Para el método VAN se utilizará una tasa de actualización del 10 %.

Cálculo del VAN

$$\text{VAN} = -17.000.000 + \frac{3.000.000}{1,10} + \frac{3.500.000}{1,10^2} + \frac{4.000.000}{1,10^3} + \frac{4.300.000}{1,10^4} + \frac{6.500.000}{1,10^5} = -1.401.959$$

Dado que el VAN es negativo, esta inversión no es rentable. Obsérvese que en el quinto año se ha añadido el valor residual que se percibirá.

Cálculo de la TIR

La tasa que iguala a cero la ecuación del VAN es 7,08 %. Por tanto, la rentabilidad anual de esta inversión es del 7,08 %. Al no llegar al 10 %, no es aconsejable.

Capítulo 8

FINANCIACIÓN

En capítulos anteriores se ha estudiado cómo pueden estimarse las necesidades financieras que tiene una empresa. Así, en el capítulo 4, el análisis de balances permitía conocer si una empresa estaba descapitalizada o tenía peligro de suspender pagos. En el capítulo 5, con el presupuesto de tesorería a 12 meses se podía conocer si se preveía un déficit de tesorería a corto plazo. Finalmente, en el capítulo 6, con el plan financiero a largo plazo, se podían prever las necesidades de fondos a dicho plazo. Dado que ya se han desarrollado las técnicas que permiten conocer las necesidades financieras, en este capítulo se estudiará cómo cubrirlas. En principio, los recursos financieros pueden llegar a la empresa a través de:

— *capital:* aportado por los accionistas;
— *autofinanciación:* al incrementar las reservas con los beneficios no distribuidos (la empresa también puede autofinanciarse al amortizar su activo inmovilizado);
— *subvenciones a fondo perdido:* concedidas por organismos públicos, normalmente;
— *deudas:* son fondos que han de devolverse y que suelen tener un coste financiero.

8.1. **La financiación mediante capital y reservas**

Toda empresa, para poder desenvolverse con normalidad, necesita un mínimo volumen de capitales propios (capital y reservas).

En caso contrario, tendría posiblemente un exceso de deudas que limitarían su independencia financiera y reducirían los beneficios a causa de los elevados gastos financieros.

Por este motivo, en el capítulo 4, se afirmaba que el ratio de endeudamiento no debía superar, en general, el valor de 0,6:

$$\text{Ratio de endeudamiento} = \frac{\text{Exigible total}}{\text{Pasivo total}} \leqslant 0{,}6$$

Por tanto, los capitales propios han de superar o igualar al 40 % del pasivo para evitar la descapitalización de la empresa.

Sin embargo, en el capítulo 4, al estudiar la rentabilidad se decía que tenía que ser lo más elevada posible:

$$\text{Rentabilidad} = \frac{\text{Beneficio neto}}{\text{Capitales propios}} = \uparrow$$

En definitiva, para que la rentabilidad sea elevada, se precisan unos capitales propios reducidos. Por otro lado, para que no exista un exceso de deuda, los capitales propios han de ser elevados.

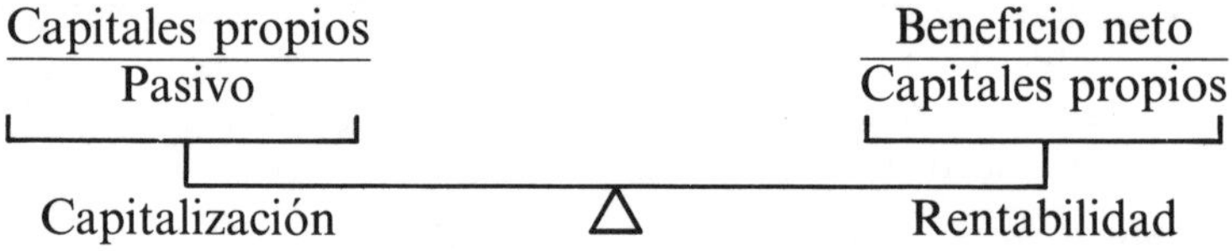

$$\frac{\text{Capitales propios}}{\text{Pasivo}} \qquad\qquad \frac{\text{Beneficio neto}}{\text{Capitales propios}}$$

Capitalización △ Rentabilidad

Una correcta gestión financiera ha de conseguir equilibrar la balanza entre la capitalización y la rentabilidad a través de un volumen óptimo de capitales propios.

Ejemplo: supóngase tres empresas que, estando en el mismo sector, tienen el mismo volumen de activo aunque lo financian de forma diferente:

	A	B	C
Activo	400	400	400
Capitales propios	400	200	1
Deudas	0	200	399

Las tres empresas consiguen el mismo beneficio antes de intereses e impuestos:

	A	B	C
BAII	85	85	85
Gastos financieros (20 % de la deuda)	0	−40	−79,8
BAI	85	45	5,2
Impuesto de sociedades (35 % del BAI)	−29,75	−15,75	−1,82
Beneficio neto	55,25	29,25	3,38

Se ha hecho el supuesto de que los gastos financieros ascienden al 20 % de la deuda y de que el impuesto de sociedades es el 35 % del BAI.

A continuación, se calcula la rentabilidad y el ratio de volumen de capitales propios.

	A	B	C
Rentabilidad $= \frac{\text{Beneficio neto}}{\text{Capitales propios}} =$	$\frac{55,25}{400} = 0,13$	$\frac{29,25}{200} = 0,14$	$\frac{3,38}{1} = 3,38$
Volumen de capitales propios $= \frac{\text{Capitales propios}}{\text{Pasivo}} =$	$\frac{400}{400} = 1$	$\frac{200}{400} = 0,50$	$\frac{1}{400} = 0,0002$

En las cifras anteriores, se puede comprobar que la empresa A es la más capitalizada, pero la menos rentable. La empresa C es la más rentable, pero está totalmente descapitalizada. La empresa B es un término medio y, por tanto, puede ser la más equilibrada.

El coste de los capitales propios

En principio, el coste de los capitales propios viene dado por el dividendo:

$$\text{Coste de los capitales propios} = \frac{\text{Dividendos}}{\text{Capitales propios}}$$

Sin embargo, la afirmación anterior es inexacta, ya que se tendría que considerar como coste de los capitales propios el coste de oportunidad de los accionistas.

Por coste de oportunidad de los accionistas se entiende la rentabilidad que podrían obtener si invirtieran sus capitales en otras alternativas con el mismo riesgo. Si, por ejemplo, los accionistas tuviesen la posibilidad de invertir sus fondos en otra alternativa mejor por la que percibirían una rentabilidad del 15 % con un riesgo semejante, el coste de oportunidad sería del 15 %. En este caso, el coste de los capitales propios sería del 15 %. Resumiendo, el coste de los capitales propios puede estimarse a partir de la rentabilidad que dejan de obtener los accionistas por no invertir sus fondos en otras alternativas de riesgo semejante.

8.2. **La financiación mediante subvenciones**

Las subvenciones a fondo perdido son la alternativa financiera más ventajosa, ya que no se han de devolver y, además, no tienen ningún coste. Por tanto, si una empresa tiene la posibilidad de acceder a subvenciones, las ha de solicitar sin ningún reparo.

8.3. **La financiación mediante deuda**

A continuación, se estudiarán los principales tipos de deuda con sus características más relevantes.

8.3.1. DEUDAS A CORTO PLAZO

Las deudas a corto plazo son normalmente las de peor calidad, ya que se han de devolver antes de 18 meses.

En la figura 8.1 se analizan, para cada tipo de deuda, los aspectos siguientes:

— *Valor máximo de la deuda:* es el volumen máximo que se puede obtener de la deuda correspondiente.
— *Garantía:* es el conjunto de garantías que ha de facilitar la

Fuente	Valor máximo de la deuda	Garantía	Interés anual aproximado	Otros costes	Coste total anual aproximado	Entidad que lo concede	Amortización	Observaciones
Proveedores (aplazamiento del pago)	Compra efectuada	La propia empresa compradora	—	Renuncia al descuento por pronto pago y/o interés que carga el proveedor	Depende del descuento pronto pago que se estipule. Normalmente es del 20 %	Proveedores	Depende, normalmente 90 días	Es fácil de obtener
Clientes (adelanta-miento del cobro)	Venta o pedido efectuado	Ídem	—	Descuento por pronto pago concedido al cliente	Ídem	Clientes	—	—
Compra a plazos	Compra efectuada	La propia empresa compradora	25 %	Timbres	30 %	Proveedor o entidades financieras	Depende, pero puede llegar a 1 año o más	Es fácil de obtener
Hacienda y Seguridad Social	Impuestos y cuotas a pagar	La propia empresa, aval, hipoteca	12 %	—	12 %	Hacienda y Seguridad Social	Según el aplazamiento solicitado	

Figura 8.1. Tipos de deuda a corto plazo

Fuente	Valor máximo de la deuda	Garantía	Interés anual aproximado	Otros costes	Coste total anual aproximado	Entidad que lo concede	Amortización	Observaciones
Préstamos de la banca privada	Según las garantías ofrecidas	Hipoteca, aval o cuentas de ahorro que representan un % sobre el préstamo	12 %	Comisión, compensaciones (saldos mínimos en cuentas de ahorro o corrientes)	15 %	Bancos, cajas de ahorro, cooperativas de crédito y cajas rurales	Depende de las condiciones pactadas	Los intereses se pagan por el nominal del préstamo
Préstamos de bancos oficiales	Según la inversión que se realice (normalmente un 70 % de la inversión)	Hipoteca o aval	10 %	Comisión, hipoteca	12 %	Banco de Crédito Agrícola, Banco de Crédito Industrial, Banco de Crédito Hipotecario	Normalmente es a largo plazo	Ídem
Créditos de la banca privada	La línea de crédito permite disponer de la cantidad precisa hasta el máximo del crédito concedido	Hipoteca, aval o cuentas de ahorro que representan un % sobre el límite del crédito	12 %	Comisión, compensaciones (saldos mínimos en cuentas de ahorro o corrientes)	15 %	Bancos, cajas de ahorro, cooperativas de crédito y cajas rurales	Depende de las condiciones pactadas	Los intereses se pagan por la parte dispuesta

Figura 8.1 *(continuación)*

Fuente	Valor máximo de la deuda	Garantía	Interés anual aproximado	Otros costes	Coste total anual aproximado	Entidad que lo concede	Amortización	Observaciones
(Factoraje) Relaciona el factor, cliente y deudor. Consiste en la cesión al factor por parte del cliente, de sus créditos comerciales; efectúa el cobro cuyo buen fin garantiza en caso de morosidad	Facturación del solicitante de financiación, incluyendo las exportaciones	Facturación del cliente	12 %	Comisión	20 %	Entidades de factoraje	El solicitante endosa a la entidad de factoraje las facturas y/o letras a cargo de sus clientes. Éstos pagarán directamente al factor a su vencimiento	La entidad de factoraje corre a cargo de una parte de la insolvencia de los clientes para empresas que quieran evitar el riesgo de impagados
Descuento comercial	Se adelanta el importe de las letras de cambio, cheques, talones o recibos, que el cliente endose a la entidad financiera	Documentos endosados y cuentas de ahorro en garantía	12 %	Comisión Timbre	15 % Todos los gastos se pagan por anticipado	Bancos, cajas de ahorro, cooperativas de créditos, cajas rurales	El solicitante endosa a la entidad las facturas y/o letras a cargo de sus clientes. Éstos pagarán directamente a la entidad financiera al vencimiento	La entidad financiera no asume el riesgo de impago de las letras, recibos, talones o cheques endosados

Figura 8.1 *(continuación)*

Fuente	Valor máximo de la deuda	Garantía	Interés anual aproximado	Otros costes	Coste total anual aproximado	Entidad que lo concede	Amortización	Observaciones
Descuento financiero (préstamo formalizado en un efecto)	Nominal de la letra	Ídem	Ídem	Ídem	Ídem	Ídem	Semejante al de los préstamos y créditos de la banca privada	
Pagarés de empresa. Son un compromiso de pago a una fecha fija (semejantes al descuento comercial)	Nominal de los pagarés	La propia empresa emisora (normalmente grandes empresas)	9 %	Timbre	10 %	Inversores en Bolsa	Máximo, 18 meses	
Mercado de letras en la Bolsa	Nominal de las letras	La empresa y el banco intermediario	Del 11,5 % al 14,5 %	Comisión, timbre, custodia	14 %-16 %	Inversores en Bolsa	De 6 meses a 1 año	

Figura 8.1 *(continuación)*

empresa al prestamista para reducir el riesgo por impago de la deuda.
— *Interés anual aproximado:* es el tipo de interés anual de la deuda correspondiente.
— *Otros costes:* a menudo, además del tipo de interés, se han de atender otros gastos como timbres, comisiones, etc.
— *Coste total anual aproximado:* es el coste total de la deuda incluyendo los gastos, además de los intereses.
— *Entidad que lo concede:* es el prestamista.
— *Amortización:* es el plazo en el que se ha de devolver la deuda.
— *Observaciones:* son otros aspectos complementarios en relación con la deuda correspondiente.

Resumiendo, los principales tipos de deuda a corto plazo tienen el coste que se relaciona en la figura 8.2.

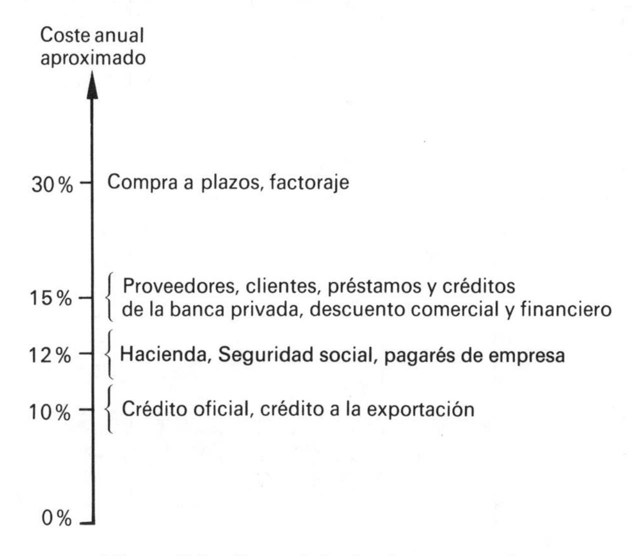

Figura 8.2. Coste de la deuda a corto plazo

8.3.2. DEUDAS A MEDIO Y LARGO PLAZO

Son las deudas que se han de devolver a un plazo de más de 18 meses.

Fuente	Valor máximo de la deuda	Garantía	Interés anual aproximado	Otros costes	Coste total anual aproximado	Entidad que lo concede	Amortización	Observaciones
Compra a plazos	Ver financiación a corto plazo							
Préstamos banca privada	Ídem							
Arrendamiento financiero *(leasing)*	Activo a alquilar	La propia empresa y el activo a adquirir	15 %	Tiene ventajas fiscales	15 %	El proveedor o la entidad arrendadora	De 3 a 5 años, normalmente	Normalmente, la empresa tiene la posibilidad de ejercer la opción de compra del activo
Alquiler puro *(renting)*	Ídem	Ídem	Ídem		Ídem	El proveedor	Variable	No existe opción de compra

Figura 8.3. Tipos de deuda a medio y largo plazo

Fuente	Valor máximo de la deuda	Garantía	Interés anual aproximado	Otros costes	Coste total anual aproximado	Entidad que lo concede	Amortización	Observaciones
Forfaiting El exportador vende a otra empresa documentos negociables (letras o pagarés) acreditativos de la exportación	Valor de la exportación	La solvencia del importador	Depende de la evolución de la divisa			Empresa	El plazo de la operación oscila entre 6 meses y 5 años	El exportador queda liberado del riesgo. Es semejante al factoraje
Crédito oficial	Ver financiación a corto plazo							

Figura 8.3 *(continuación)*

En la figura 8.3 se detallan las características básicas de los principales tipos de deuda a medio y largo plazo.

8.3.3. Coste de la deuda a corto plazo

El coste anual de la deuda, con vencimiento a un año vista, se obtiene dividiendo los gastos financieros correspondientes por el importe de la deuda:

$$\text{Coste de la deuda} = \frac{\text{Gastos financieros}}{\text{Importe de la deuda}}$$

Ejemplo: supóngase un préstamo de 100.000 a devolver al final de doce meses, cuyos intereses ascenderán a 20.000 y se pagarán al amortizar el préstamo. El coste anual será:

$$\text{Coste de la deuda} = \frac{20.000}{100.000} = 0{,}20$$

Por tanto, el coste anual del préstamo es del 20 %. Si el plazo de la deuda es inferior a un año, se ha de multiplicar la ecuación anterior por 365 y dividir por el número de días de plazo:

$$\text{Coste de la deuda} = \frac{\text{Gastos financieros}}{\text{Importe de la deuda}} \times \frac{365}{\text{N.º días plazo deuda}}$$

Ejemplo: supóngase el mismo ejemplo anterior, pero con un plazo de devolución del préstamo de 200 días. El coste anual será:

$$\text{Coste de la deuda} = \frac{20.000}{100.000} \times \frac{365}{200} = 0{,}365$$

El coste del préstamo será del 36,5 % anual.

En caso de que se produzcan amortizaciones parciales antes del vencimiento final de la deuda será preciso calcular el importe medio de la misma.

Ejemplo: supóngase un préstamo de 200.000 a devolver 100.000 en el plazo de 6 meses y las 100.000 restantes dentro de un año. Los intereses de 15.000 se pagarán dentro de un año. En este caso, los gastos financieros ascienden a 15.000. El préstamo medio será:

— durante 6 primeros meses, el préstamo es de 200.000;
— durante los 6 últimos meses del año, el préstamo es de 100.000;
— el promedio de ambos será:

$$\frac{200.000 + 100.000}{2} = 150.000$$

Por tanto, el coste anual del préstamo será del 10 %:

$$\text{Coste de la deuda} = \frac{15.000}{150.000} = 0{,}10$$

Cuando los gastos financieros se pagan por anticipado al obtener el préstamo se ha de reducir el importe de la deuda obtenido.

Ejemplo: supóngase un préstamo de 100.000 que se devuelve dentro de un año. Los intereses de 15.000 se pagan en el momento de recibir el préstamo. El coste del préstamo será igual a:

$$\text{Coste de la deuda} = \frac{150.000}{100.000 - 15.000} = \frac{15.000}{85.000} = 0{,}176$$

8.3.4. Coste de la deuda a medio y largo plazo

El cálculo del coste anual de una deuda a medio o largo plazo es más complejo que el de una deuda con plazo no superior a un año.

El método más usado para conocer el coste anual de una deuda a medio o largo plazo es muy semejante a la tasa interna de rentabilidad (véase apartado 7.2.2*c*).

Para aplicar la tasa interna de rentabilidad (TIR) se han de conocer los datos siguientes:

— importe de la deuda;
— pagos que se efectúan cada año en concepto de devolución de la deuda y de pago de intereses.

Si se conocen los datos anteriores, ya se puede utilizar la fórmula de la TIR:

$$0 = \text{Valor actual de todos los cobros} - \text{Valor actual de todos los pagos}$$

El coste anual de la deuda (en porcentaje) será aquella tasa de actualización que haga igual a cero la diferencia entre el valor actual de todos los cobros y de todos los pagos.

Ejemplo: supóngase un préstamo de 5.000.000 que se ha de devolver en dos años. En concepto de devolución del préstamo y de intereses se ha de pagar 3.000.000 dentro de un año y 3.000.000 dentro de dos años.

Para conocer el coste anual del préstamo se aplica la fórmula de la TIR:

$$0 = +5.000.000 - \frac{3.000.000}{(1 + \text{Coste anual de la deuda})} - \frac{3.000.000}{(1 + \text{Coste anual de la deuda})^2}$$

Operando, se obtendría un coste anual del préstamo entre el 13 % y el 14 %.

8.4. **Coste medio de la financiación (coste de capital)**

Así como a una empresa le interesa conocer el rendimiento medio que obtiene de su activo (véase apartado 4.3.1.), también le es conveniente conocer cuál es el coste medio de su pasivo. Al coste medio del pasivo o de la financiación se le conoce también con la denominación de «coste de capital» de la empresa.

El coste de capital da una idea de la rentabilidad mínima que ha de ofrecer una inversión. Así, si una empresa tiene un coste de capital del 17 %, por ejemplo, deberá conseguir, como mínimo, una rentabilidad del 17 % en sus inversiones. Si no consigue esa rentabilidad, los gastos financieros absorberán el beneficio y, posiblemente, tendrá pérdidas. Por este motivo, se suele utilizar el coste de capital de una empresa como tasa de actualización al aplicar el método de selección de inversiones del valor actual neto o VAN (véase 7.2.2*b*).

Ejemplo: supóngase una empresa que tiene las siguientes partidas de pasivo:

Capital	10.000.000
Reservas	5.000.000
Préstamo a largo plazo	10.000.000
Proveedores	8.000.000
Préstamo a corto plazo	5.000.000
Total pasivo	38.000.000

El coste anual de cada partida del pasivo de esta empresa es:

Capital	15 %
Reservas	15 %
Préstamo a largo plazo	20 %
Proveedores	16 %
Préstamo a corto plazo	18 %

Para calcular el coste de capital se pondera, en primer lugar, el peso de cada partida del pasivo. Para ello, se calcula el tanto por uno que representa cada partida sobre el total del pasivo:

	Importe	Tanto por uno
Capital	10.000.000	0,265
Reservas	5.000.000	0,13
Préstamo a largo plazo	10.000.000	0,265
Proveedores	8.000.000	0,21
Préstamo a corto plazo	5.000.000	0,13
	38.000.000	1,00

A continuación, se multiplica el tanto por uno que representa cada partida sobre el pasivo por su coste anual en porcentaje:

	Tanto por uno sobre pasivo	×	% anual de coste		
Capital	0,265	×	15 %	=	3,975 %
Reservas	0,13	×	15 %	=	1,95 %
Préstamo a largo plazo	0,265	×	20 %	=	5,3 %
Proveedores	0,21	×	16 %	=	3,36 %
Préstamo a corto plazo	0,13	×	18 %	=	2,34 %
	1,00			=	16,925 %

Por tanto, el coste medio ponderado anual de la financiación es del 16,925 %. Así, el coste de capital de esta empresa es del 17 %, aproximadamente.

8.5. **Ejercicios**

EJERCICIO 8.1. CÁLCULO DEL COSTE ANUAL DE UN DESCUENTO COMERCIAL

Supóngase una empresa a la que el banco le descuenta una letra de 800.000 pesetas con vencimiento a los 90 días. El banco cobra unos intereses anuales del 16 % y una comisión sobre el importe de la letra del 0,70 %.

Los costes del descuento son:

$$\text{Costes} = \underset{\text{(intereses)}}{0{,}16 \times \frac{90}{360} \times 800.000} + \underset{\text{(comisiones)}}{0{,}007 \times 800.000} =$$
$$32.000 + 5.600 = 37.600 \text{ ptas.}$$

Los intereses se han calculado para un año de 360 días, ya que los bancos usan siempre el «año comercial».

El importe de la deuda es el de la letra, deduciendo los costes, ya que los bancos perciben éstos por anticipado en el descuento de letras.

$$\text{Importe} = 800.000 - 37.600 = 762.400 \text{ pesetas}$$

El coste anual de esta deuda será:

$$\text{Coste anual} = \frac{37.600}{762.400} \times \frac{365}{90} = 0{,}20$$

Por tanto, el coste anual será del 20 %.

EJERCICIO 8.2. CÁLCULO DEL COSTE ANUAL DE UN DESCUENTO COMERCIAL CON RETENCIÓN EN CUENTA DE AHORRO

A menudo, los bancos retienen un porcentaje de la letra en una cuenta de ahorro para incrementar las garantías.

Siguiendo con los datos del ejercicio 8.1, si el banco retuviese el 10 % de la letra en una cuenta de ahorro remunerada con el 3 % de interés anual, el nuevo coste sería distinto.

Los costes se reducirán con los intereses percibidos con la cuenta de ahorro:

$$\text{Costes} = 37.600\ \text{ptas} - 0{,}03 \times \frac{90}{360} \times 0{,}10 \times 800.000 =$$
$$= 37.600\ \text{ptas} - 600\ \text{ptas} = 37.000\ \text{ptas}$$

El importe de la deuda se reducirá con la retención del 10 % de la letra:

$$\text{Importe} = 762.400 - 0{,}10 \times 800.000 = 682.400\ \text{pesetas}$$

El coste anual de esta deuda será:

$$\text{Coste anual} = \frac{37.000}{682.400} \times \frac{365}{90} = 0{,}22$$

El coste anual ha aumentado del 20 % al 22 % a causa de la retención.

EJERCICIO 8.3. CÁLCULO DEL COSTE ANUAL DE UNA COMPRA A PLAZOS (A CORTO PLAZO)

En la compra de una máquina, una financiera ofrece las condiciones siguientes:

— precio de la máquina al contado: 1.200.000 pesetas;
— pago en 12 mensualidades de 107.000 pesetas cada una.

El coste de la deuda es:

$$\text{Costes} = \text{Total pagos} - \text{Préstamo inicial} =$$
$$= 107.000 \times 12 - 1.200.000 = 84.000\ \text{ptas.}$$

Para calcular el préstamo medio habrá que obtener la media del saldo pendiente al final de cada mes:

Mes	Saldo al inicio del mes		Pago al inicio del mes		Saldo medio del mes
1	1.200.000	−	0	=	1.200.000
2	1.200.000	−	107.000	=	1.093.000
3	1.093.000	−	107.000	=	986.000
4	986.000	−	107.000	=	879.000
5	879.000	−	107.000	=	772.000
6	772.000	−	107.000	=	665.000
7	665.000	−	107.000	=	558.000
8	558.000	−	107.000	=	451.000
9	451.000	−	107.000	=	344.000
10	344.000	−	107.000	=	237.000
11	237.000	−	107.000	=	130.000
12	130.000	−	107.000	=	23.000
					6.780.000

$$\text{Préstamo medio} = \frac{6.780.000}{12} = 565.000 \text{ pesetas}$$

$$\text{Coste anual} = \frac{84.000}{565.000} = 0{,}15$$

Una forma más exacta de obtener el coste anual es a través de la TIR:

$$VAN = 0 = +1.200.000 - \frac{107.000}{(1+TIR)} - \frac{107.000}{(1+TIR)^2} - \ldots - \frac{107.000}{(1+TIR)^{12}}$$

En este caso, la TIR es igual a 1,06 % y es un porcentaje mensual, ya que los pagos tienen esta periodicidad. Para obtener el coste anual hay que aplicar la fórmula del interés compuesto:

$$\text{Interés anual} = (1 + \text{interés mensual})^{12} - 1 = (1 + 0{,}0106)^{12} - 1 = 0{,}135$$

Por tanto, el coste anual de esta financiación es del 13,5 %.

EJERCICIO 8.4. CÁLCULO DEL COSTE DE FINANCIACIÓN MEDIANTE PROVEEDORES

La financiación mediante proveedores tiene un coste, ya que supone renunciar al descuento por pronto pago.

Seguidamente, se calcula el coste de un ejemplo de este tipo de financiación:

— importe de la compra al proveedor (sin deducir el descuento por pronto pago) si se paga a los 90 días = 2.000.000 ptas;
— el proveedor ofrece un descuento del 4 % si se paga a los 10 días.

El coste de la financiación será:

$$\text{Coste} = 0{,}04 \times 2.000.000 = 80.000 \text{ pesetas}$$

El préstamo será el importe de la compra deduciendo el descuento, ya que éste, en el fondo, es un cargo de tipo financiero.

$$\text{Préstamo} = 2.000.000 - 80.000 = 1.920.000 \text{ pesetas}$$

Dado que el plazo de la financiación es de 80 días (del día 10 al día 90), el coste anual será:

$$\text{Coste anual} = \frac{80.000}{1.920.000} \times \frac{365}{90} = 0{,}19$$

Por tanto, el coste anual de esta financiación es del 19 %.

EJERCICIO 8.5. CÁLCULO DEL COSTE DE UNA FINANCIACIÓN A LARGO PLAZO

Un banco ofrece un préstamo de pesetas 5.000.000 con las condiciones siguientes:

— plazo: 4 años;
— devolución al final de cada año: 1.500.000 pesetas

Para calcular el coste anual, hay que aplicar la TIR:

$$\text{VAN} = 0 = +5.000.000 - \frac{1.500.000}{(1 + \text{TIR})} - \dots - \frac{1.500.000}{(1 + \text{TIR})^4}$$

La TIR es igual a 0,0771. Por tanto, el coste de este préstamo es del 7,71 % anual.

BIBLIOGRAFÍA

ALVAREZ LÓPEZ, José: *Análisis e interpretación de balances,* Editorial Donostiarra (San Sebastián, 1972). *Contabilidad analítica,* Editorial Donostiarra (San Sebastián, 1983).

AMAT, Joan M.ª: *Contabilidad de costes,* EADA Gestión. Barcelona, 1985.

AMAT, Oriol: *Análisis económico-financiero,* Ed. Gestión 2000 (Barcelona, 1984). *Comprender el Nuevo PGC,* Ed. Gestión 2000 (Barcelona, 1990).

ARREGHINI, Hugo: *Los estados de origen y aplicación de fondos,* Editorial Cangallo (Buenos Aires, 1984).

CAÑIBANO, Leandro: *Análisis contable de la realidad económica,* Ediciones ICE (Madrid, 1982).

GENESCA, Enric: *Apunts de comptabilitat analítica,* Caixa de Pensions (Barcelona, 1985).

KELETY, Andrés de: *Análisis y evaluación de inversiones,* EADA Gestión. Barcelona, 1990.

LEVY, Haim: *Capital investment and financial decisions,* Prentice-Hall (Londres, 1978).

MASSONS, Joan: *Finanzas,* Editorial Hispano Europea (Barcelona, 1985).

MEYER, J.: *Gestión presupuestaria,* Ediciones Deusto (Bilbao, 1986).

MOISSON, Marcel: *Práctica del control presupuestario,* Ediciones Deusto (Bilbao, 1980).

OIT: *Cómo interpretar un balance,* Oficina Internacional del Trabajo (Ginebra, 1968).

OMEÑACA, Jesús: *El Nuevo Plan General de Contabilidad,* Ediciones Deusto (Bilbao, 1990).

PEYRARD, J.: *Analyse financière,* Vuibert Gestion (París, 1983).

PEREIRA, Fernando; BALLARÍN, Eduard; ROSANAS, Josep M.ª y VÁZQUEZ-DODERO, Juan Carlos: *Contabilidad para dirección,* Ed. Universidad de Navarra, S.A. (Pamplona, 1981).

ROBSON, A.P.: *Essential accounting for managers,* Cassell (Londres, 1966).
SEILTZ, Neil: *Finance for non financial managers,* Reston Publishing Company, Inc. (Virginia, 1983).
VERGES, Joaquim: *Apunts de control presupostari,* Caixa de Pensions (Barcelona, 1985).
VERNIMMEN, Pierre: *Finance d'entreprise,* Dalloz Gestion (París, 1981).